L'amour au menu

Ce livre est dédié à l'Île d'Orléans, ses habitants, ses artisans, ses agriculteurs, mes amis, mon cœur…

www.lamouraumenu.com

www.lamouraumenu.com

Conception - édition	Linda Arsenault
Direction accords mets et vins	Alain Dumulong
Direction artistique	Sonia Landry
Chefs	Marie-Hélène Reid Sara Coupry
Photographie	Rodolf Noël
Révision	Élisabeth Touchette
Gestion de l'impression	Dominique Lemire et Brigitte Lestage IntraMédia, division de Datamark Systems

Du même éditeur :
Les Producteurs toqués de l'île d'Orléans
(www.producteurstoques.com)

Dépôt légal – Bibliothèque et Archives nationales du Québec, 2010
Dépôt légal – Bibliothèque et Archives Canada, 2010
ISBN 978-2-9809721-1-9

Perrette
au marché

D'un pas décidé et d'une fière allure,
Portant panier et jolie coiffure,
Perrette s'en allait de bon matin
Au marché, acheter ses fruits à pin

L'oeil rivé sur son popotin,
Pupilles dilatées, lèvres tremblantes de faim,
Victor, sans besoin de bois-bandé
Imaginait à quelle sauce il allait la manger

Perrette, de ses reins cadencés
Rythmait sa démarche chaloupée,
Sur son passage, les têtes se retournaient,
La belle, sur ses talons filait

Retenant leur souffle, à la limite de l'asphyxie,
Victor et ses semblables, tels des citrons-confits
Semblaient macérer dans leurs envies,
Obsédés par leur lubie

Quand les hanches balancèrent,
Dévoilant quelques mystères,
Pendant l'ascension des escaliers Colbert,
Des «ho !», des «ha !» s'élevèrent

Le sommet presque atteint failli achever les chauds-lapins
La belle trébuchant, le nez dans des ailerons de requins
Mais guidées par la pudeur, ses fines mains,
A leur vue, cachèrent son joli popotin

Victor et ses semblables, dépités,
Se transformèrent cette fois en filets de morue séchés,
Pestant contre la fatalité,
La méchante, les privant d'un trésor tant convoité.

Bd (11 novembre 2006)

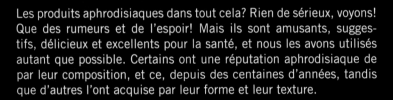
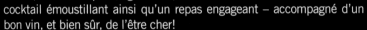

Pour faire suite à mon premier livre de recettes – *Les Producteurs toqués de l'île d'Orléans** – publié de connivence avec mes amis les producteurs et productrices agricoles de mon île adorée et le chef Philip Rae, je vous propose maintenant un deuxième livre, plus urbain, qui parlera de cuisine certes, mais cette fois-ci, de cuisine d'ambiance sensuelle.

Qu'est ce que la cuisine d'ambiance sensuelle... ou devrais-je plutôt l'appeler sensorielle? C'est une cuisine d'émotions, alimentée par un bain moussant parfumé, un massage relaxant, une musique langoureuse, un cocktail émoustillant ainsi qu'un repas engageant – accompagné d'un bon vin, et bien sûr, de l'être cher!

Les produits aphrodisiaques dans tout cela? Rien de sérieux, voyons! Que des rumeurs et de l'espoir! Mais ils sont amusants, suggestifs, délicieux et excellents pour la santé, et nous les avons utilisés autant que possible. Certains ont une réputation aphrodisiaque de par leur composition, et ce, depuis des centaines d'années, tandis que d'autres l'ont acquise par leur forme et leur texture.

La cuisine d'ambiance sensuelle est conçue pour se vivre à deux. Le toucher, l'ouïe, l'odorat, le goût, la vue... tous les sens sont sollicités avant, pendant et après le repas. Pas de cuisine sans sens et pas de sensations sans passion!

Vous aurez compris que *L'amour au menu* est bien plus qu'un livre de recettes. Découvrez les chapitres Palmarès musical, Préludes, Philtres d'amour, Mises en bouche, Préliminaires, Essentiels et Plaisirs coupables : vous avez là tous les ingrédients pour vous mettre en appétit et pimenter vos repas amoureux.

Linda Arsenault
www.lamouraumenu.com

* www.producteurstoques.com : gagnant du Meilleur livre de cuisine locale au monde en 2007.

4

L'équipe

Il est rare d'avoir une liberté totale pour choisir les membres d'une équipe et d'avoir le privilège de s'associer à ces personnes non seulement pour leurs compétences, mais aussi pour leur gentillesse, leur sens de l'humour, leur dévouement, leur cœur et leur amitié. C'est le cadeau que je me suis offert et que je vous présente ici.

L'épicurien : Alain Dumulong, homme amoureux et sensuel, tout simplement passionné dans tous les sens et par tous les sens. Lorsque je l'ai rencontré, il y a bientôt dix ans, lors d'un dîner d'affaires, il m'a entretenue de géographie, d'agriculture, de climat, d'histoire… En fait, il me parlait de vin. C'est pour sa passion, ses connaissances et son ardeur au travail que je lui ai demandé de faire équipe avec moi pour concocter ce livre. Il est donc le grand responsable des accords mets et vins et du chapitre des Philtres d'amour. Il a été un collaborateur extraordinaire sur tous les plans.

La directrice artistique : Sonia Landry est la grande responsable de l'image de cet ouvrage. Elle faisait partie de l'aventure du livre *Les Producteurs toqués de l'île d'Orléans* et elle n'est certes pas étrangère à l'attribution du prix de Meilleur livre de cuisine locale au monde qu'a mérité cet ouvrage en 2007. Avec Sonia, « il faut qu'il se passe quelque chose et l'intensité doit être au rendez-vous, sinon ça ne vaut pas la peine ». Femme créative, réservée, sensuelle, talentueuse et merveilleuse complice, elle n'a pas hésité à accepter mon invitation à travailler sur ce projet audacieux et d'y investir temps et talent pour y apposer sa signature.

Les chefs : Marie-Hélène Reid et Sara Coupry, deux jeunes femmes qui ont décidé d'abandonner les cuisines des grands restaurants pour avoir la leur. Elles sont amies depuis 20 ans et sont à la barre de Haricot Traiteur depuis 2008. C'est sans prétention qu'elles ont accepté de participer à cette aventure remplie d'incertitudes. Création des recettes, participation au concept et stylisme culinaire : elles ont relevé le défi avec une grande dose d'humilité et de succès. Elles ont un avenir prometteur.

Le photographe : Rodolf Noël est à la fois sérieux et drôle, extrêmement talentueux, terre-à-terre et rigoureux, mais aussi rêveur et détendu. Un vrai coup de cœur! En plus d'avoir réalisé toutes les photos du livre, il a participé au concept des photos sensuelles et culinaires et a amené sa touche personnelle au projet. Bien sûr, les 30 ans passés avec ses lampes et sa caméra lui ont permis d'acquérir une réputation enviable.

La réviseure: Elisabeth Touchette, bachelière en Études littéraires et détentrice d'une formation de chef cuisinier de l'Institut de tourisme et d'hôtellerie du Québec. Elle corrige, révise, réfléchit, conseille et traduit. D'une grande rigueur, d'une intelligence vive et d'une belle créativité, cette passionnée de gastronomie est indispensable. Une très belle rencontre!

Mot des chefs

Nous sommes très heureuses d'avoir participé à *L'amour au menu*. Toutes deux de jeunes chefs, ce défi audacieux a mis à l'épreuve nos connaissances, notre créativité et notre esprit d'innovation. La cuisine joue un rôle important dans nos vies. Notre style de cuisine simple, à base de produits locaux et de qualité, a pour but de titiller le palais par le plaisir de goûter et de bien manger. Pour nous, la cuisine sensuelle se retrouve dans les odeurs, les couleurs et les textures des aliments, et parfois même dans leur forme. Cuisiner à deux devient un art, une façon de s'exprimer et de se rapprocher, une occasion de transformer la cuisine en terrain de jeux coquins grâce auxquels nous apprenons à créer un lien étroit avec nos sens.

Bonne cuisine, bon appétit et surtout, amusez-vous!

Marie-Hélène Reid et Sara Coupry
Haricot Traiteur
www.haricottraiteur.com

Accords mets et vins

Tout comme en amour, un accord mets et vins réussi doit vous apporter plaisirs et intensité des sensations. Il repose sur la qualité de la relation des arômes, des saveurs et des textures sur une trame compatible, un amalgame intime, voire une osmose...

Pour vous aider dans votre quête du plaisir... de la table, il existe bien évidemment plusieurs facteurs à considérer. Les ingrédients de base, la sauce, la cuisson et les assaisonnements, entre autres, jouent un rôle essentiel dans l'optimisation de la qualité d'un accord mets et vins. Ce dernier, pour être réussi, doit aussi correspondre à vos goûts et à vos préférences personnelles. Mais, si vous osez sortir de votre zone de confort, vous serez surpris des heureuses découvertes que vous ferez. En somme, il n'y a pas de vérité absolue pour le choix du vin qui accompagnera votre mets. Le meilleur vin du monde n'est-il pas celui qu'on aime le plus?

Accords

Ainsi, pour chaque recette, trois types de vins vous sont proposés. Le premier type constitue un accord « **Classique** » ♀♂ avec les arômes et les saveurs dominantes du mets. Le second type regroupe des propositions de vins « **Coups de foudre** » ♀♀ résultant d'expériences personnelles de dégustation. Le dernier type se veut un périple gustatif « **Libertin** » ♂♂, quasi illicite, mais tout aussi jouissif que les deux autres. Ainsi, le néophyte, l'amateur en herbe et le dégustateur averti y trouveront leur compte, et ce, selon leur budget et leurs envies du moment. Au besoin, vous pourrez demander à votre conseiller en vins chez votre marchand de vous suggérer un produit disponible selon les arrivages qui répondra aux critères des accords mets et vins répertoriés.

Philtres d'amour

Par ailleurs, pour vous plonger dans une ambiance propice à la détente ou pour agrémenter la préparation d'un repas, je vous propose 12 cocktails qui ont été spécialement conçus à partir d'ingrédients suggestifs ou aphrodisiaques. Ils sont simples à préparer et à la portée de tous. Découvrez-les! Ils sont délicieux.

Bonne dégustation!

Alain Dumulong

Ma passion est le vin. À ma table, il s'est toujours imposé. Désormais, il occupe une place de choix sur ma table de chevet.

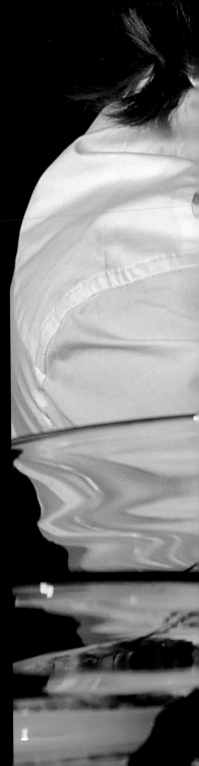

Palmarès musical

Francophone

Titres	Interprètes
Je veux monter	3ieme sexe et Justin Schoering
Ce soir	Annie Villeneuve
Je veux tout	Ariane Moffatt
L'amour existe encore	Céline Dion
Par gourmandise	Charles Aznavour
Sexy girls	Clara Margane
Aime-moi	Claude Barzotti
Sensuel	Claude Nougaro
Désir	Diane Dufresne
Sur tes lèvres	Dumas
Je t'ai dans la peau	Édith Piaf
Je rêve encore	Éric Lapointe
Sexe-moi	Félina
La fille qui m'accompagne	Francis Cabrel
Un homme et une femme	Francis Lai
Une jolie fleur	Georges Brassens
Le bain de minuit	Gilbert Bécaud
Laisse-moi t'aimer	Ima
3 nuits par semaine	Indochine
Tombée de toi	Isabelle Boulay
Quand on a que l'amour	Jacques Brel
Nous dormirons ensemble	Jean Ferrat
T'es belle	Jean-Pierre Ferland
Et si tu n'existais pas	Joe Dassin
Je te promets	Johnny Hallyday
Femmes, je vous aime	Julien Clerc
Adam et Ève	Kaïn
Échapper au sort	Karkwa
C'est extra	Léo Ferré
C'est l'amour	Léopold Nord & Vous
Une femme avec toi	Marie-Ève Côté
Sur tes seins	Martin Léon
L'amour est dans tes yeux	Martine St-Clair
Tu es mon autre	Maurane et Lara Fabian
Sexe et marijuana	Merlot
L'amour n'est rien	Mylène Farmer
Mon mec à moi	Patricia Kass
Reine Émilie	Pierre Lapointe
Sensuelle et sans suite	Serge Gainsbourg
La salle de bain	Serge Lama
Chanson de Maglia	Serge Reggiani
S.E.X.E.	Street Revolution
Reste si tu veux	Sylvain Cossette
5 h dans ta peau	Vegastar
La p'tite lady	Vivien Savage
Beau comme on s'aime	Yan Perreau
A cause des garçons	Yelle
Avis au sexe fort	Zazie

Anglophone

Titres	Interprètes
Wicked way	Benjamin Taylor
You belong to me	Carla Bruni
I believe In you	Cat Power
Wicked game	Chris Isaak
Bubbly	Colbie Caillat
Useless	Depeche Mode
I've got you under my skin	Diana Krall
Wonderful tonight	Eric Clapton
Something stupid	Frank Sinatra
Turn your love around	George Benson
I want your sex	George Michael
I just wanna stop	Gino Vanelli
Brown skin	India.Arie
Somewhere over de rainbow	Israel Kamakawiwo'ole
Would you mind	Janet Jackson
I'm yours	Jason Mraz
A long walk	Jill Scott
You are so beautiful	Joe Cocker
I kissed a girl	Katy Perry
Sex on fire	Kings of Leon
Stairway to heaven	Led Zeppelin
Erotica (Sex Remix)	Madonna
Sexual healing	Marvin Gaye
Angel	Massive Attack
I just can't stop loving you	Michael Jackson
Lovin' you	Minnie Riperton
Down on my knees	Montell Jordan
Too drunk to fuck	Nouvelle Vague
The great gig in the sky	Pink Floyd
Creep	Radiohead
In the kitchen	Robert Kelly
Sex therapy	Robin Thicke
Love song	Sara Bareilles
Truly, madly, deeply	Savage Garden
Nothing compares to you	Sinéad O'Connor
Lovesong	Tori Amos

Instrumental

Ma JoJo	Alain Lefebvre
Memory	Andrew Lloyd Webber
Oblivion	Astor Piazzolla
Clair de lune	Claude Debussy
Bilitis	Francis Lai
Be my love	Keith Jarrett
Caruso	Lucio Dalla
Always and forever	Pat Metheny

Table des matières

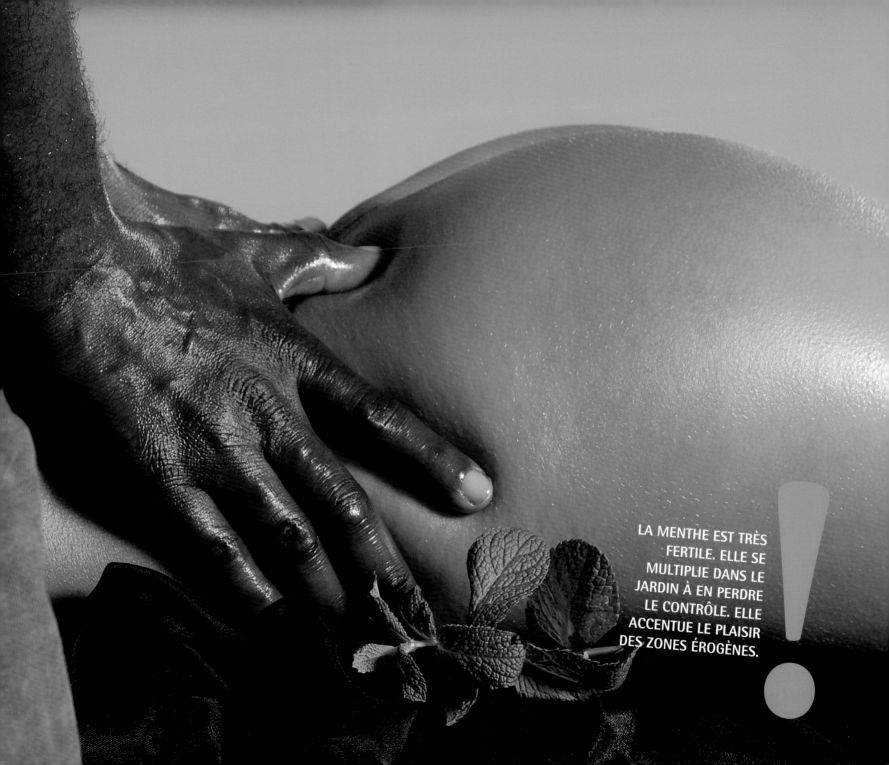

LA MENTHE EST TRÈS FERTILE. ELLE SE MULTIPLIE DANS LE JARDIN À EN PERDRE LE CONTRÔLE. ELLE ACCENTUE LE PLAISIR DES ZONES ÉROGÈNES.

Huile de massage

Menthe verte

Combiner
3/8 tasse (95 ml) d'huile de bébé
50 gouttes d'huile essentielle de menthe verte

Amande et mandarine

Combiner
3/8 tasse (95 ml) d'huile d'amande
50 gouttes d'huile essentielle de mandarine

Un moment charnel à partager. Un soin corporel à deux dans un décor feutré et chaud avec une musique de circonstance. Voilà une excellente occasion d'apprécier notre cocktail Libido Booster. Tout comme le massage réchauffera votre peau, ce cocktail allumera votre flamme intérieure.

Cette main va et vient, se serre
Se relâche par instant,
Trotte s'il est nécessaire
Et tu sens qu'elle est sincère
À des arrêts palpitants!

Louis Marsolleau (1864-1935)

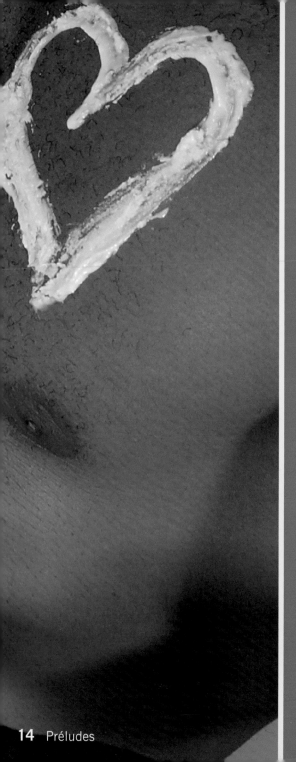

Peinture corporelle au chocolat

Ingrédients
1/3 tasse (85 ml) de miel
1 pincée de sel
3 c. à soupe (45 ml) d'eau
2 c. à soupe (30 ml) de beurre
1/4 tasse (65 ml) de poudre de cacao
1 1/2 c. à thé (7,5 ml) d'essence d'amande
1 1/2 c. à thé (7,5 ml) de Grand Marnier®
Un pinceau

Préparation
Dans une petite casserole, chauffer le miel, le sel et l'eau à feu moyen et retirer du feu.
Incorporer le beurre en fouettant, puis la poudre de cacao, l'essence d'amande et le Grand Marnier, toujours en fouettant.
Laisser le mélange tiédir et le garder tiède sur un réchaud pendant son utilisation.

On peut préparer cette peinture la veille et la réchauffer au micro-ondes pendant 30 secondes.
Il ne reste plus qu'à être créatif!

Peinture au chocolat blanc

Simplement chauffer à feu doux 2 tasses (500 ml) de pépites de chocolat blanc, et le tour est joué!

Pourquoi ne pas agrémenter ce prélude avec un vin doux naturel (VDN) rouge qui ajoutera un peu d'épices à ce tableau déjà consommé. Ce nectar symbiotique du chocolat sera votre complice par excellence.

Un VDN rouge français du Roussillon tel un banyuls d'au moins 5 ans d'âge

Un autre VDN rouge du Roussillon – un rivesaltes

Un vin mousseux du Sud-Ouest de la France, tel un gaillac ou un recioto della Valpolicella de la Vénétie, Italie

Crème de rasage mentholée à l'ylang-ylang

Ingrédients

2 c. à soupe (30 ml) de miel
1/2 tasse (125 ml) d'eau bouillante
1/2 tasse (125 ml) de savon dur, râpé
2 c. à soupe (30 ml) d'huile de noix
2 c. à soupe (30 ml) d'huile d'amande
8 gouttes d'huile essentielle de menthe verte
8 gouttes d'huile essentielle d'ylang-ylang

Préparation

Dissoudre le miel dans l'eau bouillante.
Ajouter le savon râpé et mélanger jusqu'à sa dissolution.
Ajouter les autres ingrédients et fouetter à la main jusqu'à l'obtention d'un mélange mousseux et léger.
Verser le mélange dans une tasse et le laisser reposer jusqu'à durcissement.
Appliquer à l'aide d'un blaireau.

L'YLANG-YLANG EST UN TONIQUE CORPOREL REVITALISANT ET EUPHORISANT; IL EST UNE HUILE... ESSENTIELLE

Douceur faciale à l'avocat et au concombre

Ingrédients

3 po (7,5 cm) de concombre anglais, pelé
1/2 avocat, bien mûr
3 c. à soupe (45 ml) de miel
2 c. à soupe (30 ml) de crème 35 %
2 c. à soupe (30 ml) de glycérine
1 c. à thé (5 ml) de jus de citron
1/4 tasse (65 ml) de farine

Préparation

À l'aide d'un petit robot culinaire, réduire le concombre et l'avocat en purée.
Ajouter le miel, la crème, la glycérine et le citron, et bien mélanger jusqu'à l'obtention d'une texture crémeuse.
Ajouter la farine, une cuillère à la fois, et bien mélanger.
Réfrigérer jusqu'au moment de s'en servir.

On peut concocter cette recette jusqu'à 48 heures avant son utilisation.
Appliquer ce mélange sur le visage, relaxer 5 à 10 minutes et rincer.

ON SE SERT DE L'AVOCAT COMME ÉCRAN POUR PROTÉGER LA PEAU DES VENTS DÉSERTIQUES.

Bulles de bain

Miel et mandarine

Combiner
3/8 tasse (95 ml) de shampoing pour bébé, non parfumé
2 c. à soupe (30 ml) de miel
20 gouttes d'huile essentielle de mandarine

Érable et lavande

Combiner
3/8 tasse (95 ml) de shampoing pour bébé, non parfumé
2 c. à soupe (30 ml) de sirop d'érable
20 gouttes d'huile essentielle de lavande

Un moment propice pour la détente avant d'entamer votre repas. Bien calé(e) dans votre bain aux effluves asservissants, pourquoi ne pas envoyer votre partenaire préparer l'un de nos doux cocktails, tel un Tango de langues, que vous siroterez tout doucement à deux.

LA LAVANDE EST STIMULANTE PAR SON ODEUR, A LA PROPRIÉTÉ DE DÉTENDRE ET CRÉER UNE ATMOSPHÈRE ROMANTIQUE. L'ÉRABLE EST APHRODISIAQUE PAR SA DOUCEUR SUCRÉE ET PAR SON LIQUIDE BLOND ET DÉLECTABLE.

De tes arômes magistères et enivrants
*É*cume mon corps aux désirs latents
*D*ouce et chaude potion d'apaisement
*A*ttendrit ma peau pour mon amant

Alain Dumulong

Heureux qui, profitant des beautés de la terre,
Baisant un petit cul, buvant dans un grand verre
Remplit l'un, vide l'autre et passe avec gaieté
Du cul de la bouteille au cul de la beauté

Paul Verlaine (1844-1896)

Philtres d'amour

Les philtres d'amour

Ces philtres ont été conçus pour titiller vos papilles gustatives, réchauffer votre corps, éveiller vos sens et inspirer l'amour.

Créez l'ambiance! Accompagnés de votre musique lascive favorite, ils vous charmeront par leur douceur ou leur pouvoir envoûtant et vous abandonneront ultimement aux portes de la luxure.

À déguster impérativement à deux!

Queue
de paon

Ingrédients pour un verre

0,5 oz (15 ml) de vodka
1 oz (30 ml) de liqueur de fraises Fragoli®
1 oz (30 ml) de jus de litchi
Champagne ou vin mousseux
1 fraise fraîche, sur pic

Préparation

Dans un shaker à moitié rempli de glaçons,
verser tous les ingrédients sauf le champagne
et la fraise, et bien agiter.
Verser le mélange dans une flûte à champagne
et compléter avec le champagne ou le
vin mousseux, puis décorer avec la fraise.

Lorsque mes lèvres
Effleurent ta bouche
Tu m'invites à y pénétrer
Langue chaude et douce
Qui me tangue et me chavire
Osmose et fusion de chair
Qui liquéfie mon cerveau
Et monte la sève de mon désir
Dansent nos langues langoureuses
Danse longue et inoubliable
Que je peine à quitter

Alain Dumulong

Tango de langues

Ingrédients pour un verre
1 oz (30 ml) de rhum brun
1,5 oz (45 ml) de liqueur au jus de fruits Alizé Sunset Passion®
0,5 oz (15 ml) de sirop de limette
1,5 oz (45 ml) de nectar de mangue
Sucre roux brut, en cristaux
1 tranche de limette

Préparation
Dans un shaker à moitié rempli de glaçons, verser tous les ingrédients sauf le sucre et la tranche de limette, et bien agiter. Givrer le rebord d'un verre sur pied avec le sucre roux et le remplir de glaçons.
Verser le mélange dans le verre et décorer de la tranche de limette.

Ce sont surtout deux seins
Fruits d'amour arrondis par une main divine,
Qui tous deux à la fois vibrent sur la poitrine,
Qu'on prend à pleines mains !

Alfred de Musset (1810-1857)

Douces Boules

Ingrédients pour deux verres

Cantaloup mûr, coupé en deux et débarrassé de ses graines
Melon miel mûr, coupé en deux et débarrassé de ses graines
2 oz (60 ml) de vin doux naturel de muscat blanc*
1 oz (30 ml) de liqueur de melon Midori®
2 à 3 tours de moulin de poivre rose

Préparation

Prélever 5 boules de cantaloup et 5 boules de melon miel à l'aide d'une cuillère parisienne.
Dans un sac de plastique à fermeture à glissière, verser le vin de muscat, la liqueur de melon et le poivre rose. Ajouter les boules de cantaloup et de melon miel, refermer le sac de façon hermétique et laisser macérer au frais pendant environ 1 heure.
Au moment de servir, enfiler les boules de melon sur une brochette de bois ou les déposer dans un ramequin et les accompagner d'un verre de vin de muscat rafraîchi à 46 °F (8 °C).

* Le vin doux naturel (VDN) de muscat blanc peut être remplacé par du vin de glace ou du cidre de glace.

Pleine Lune

Ingrédients pour un verre

1 oz (30 ml) de gin
1 oz (30 ml) de liqueur à l'orange (Cointreau®, Triple sec®
ou Grand Marnier®), au goût
1 oz (30 ml) de jus de citron frais
Soda au gingembre, au goût
Un zeste de citron, sur pic
1 cerise de terre

Préparation

Dans un shaker à moitié rempli de glaçons, verser le gin, la
liqueur à l'orange de son choix et le jus de citron, et bien agiter.
Verser dans un verre à gin (highball) à moitié rempli de glaçons.
Compléter avec le soda au gingembre et décorer d'un zeste de
citron taillé en spirale et d'une cerise de terre.

Qu'elles soient, au réveil,

Rondes comme des soleils

Ou lune en sommeil,

Vos fesses je veux croquer

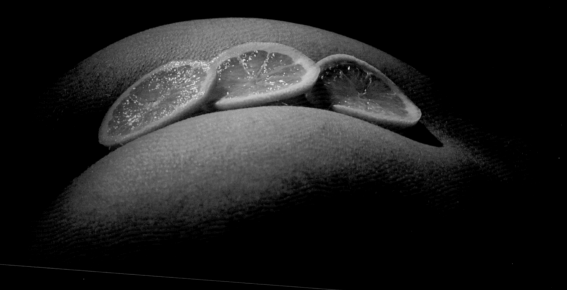

String Queen

Ingrédients pour un verre

1 oz (30 ml) de gin
1 oz (30 ml) de vermouth blanc sec Martini®
1 oz (30 ml) de liqueur au jus de fruits Alizé Gold Passion®
2 oz (60 ml) de sirop de canne
4 oz (120 ml) de soda tonique
1 tranche de carambole

Préparation

Dans un shaker à moitié rempli de glaçons, verser tous les ingrédients sauf le soda tonique et la carambole, et bien agiter. Remplir un verre à gin (highball) de quelques glaçons, verser le mélange dans le verre, puis ajouter le soda tonique et décorer d'une tranche de carambole.

Libido Booster

Ingrédients pour un verre

1 oz (30 ml) de vodka
1,5 oz (45 ml) de crème de menthe blanche
2 oz (60 ml) de nectar de poire
3 cerises au marasquin, sur pic

Préparation

Dans un shaker à moitié rempli de glaçons, verser tous les ingrédients sauf les cerises, et bien agiter. Mettre 2 glaçons dans un verre à whisky (old fashioned) et verser le mélange. Décorer avec les cerises.

Souffle court

Ingrédients pour un verre

1 oz (30 ml) de whisky à la cannelle
1,5 oz (45 ml) de boisson alcoolisée aux griottes
Griottines®
Eau minérale gazéifiée
3 cerises au marasquin, sur pic

Préparation

Dans un shaker à moitié rempli de glaçons, verser
le whisky et la boisson aux griottes, et bien agiter.
Servir avec quelques glaçons dans un verre sans
pied (tumbler).
Compléter avec de l'eau minérale pétillante au
goût et décorer avec les cerises au marasquin.

À corps perdus, libres et sans chaînes
Le tien et le mien à jamais s'enchaînent
Corps retrouvés fusionnés par le désir
Passion repue, mon vit se retire

Alain Dumulong

À corps perdu

Ingrédients pour un verre

1 oz (30 ml) de cognac
1 oz (30 ml) d'Amaretto di Saronno®
1 oz (30 ml) de crème de banane alcoolisée
1 oz (30 ml) de crème 15 %
2 gouttes d'extrait de vanille

Préparation

Dans un shaker à moitié rempli de glaçons, verser
tous les ingrédients et bien agiter.
Servir dans un ballon à cognac.

Pervers

Ingrédients pour deux verres
1 oz (30 ml) d'Amaretto di Saronno®
1 oz (30 ml) d'Amarula®
Crème Chantilly en quantité suffisante

Préparation
Dans un verre à liqueur (shooter), verser
successivement l'Amaretto di Saronno et l'Amarula,
et terminer avec la crème Chantilly.
Consommer cul sec …. sans l'aide des mains!

Sexe à pile

Ingrédients pour un verre
1 oz (30 ml) de Baileys Irish Cream®
0,5 oz (15 ml) de sambuca
0,5 oz (15 ml) de vodka

Préparation
Dans un shaker à moitié rempli de glaçons,
verser tous les ingrédients et bien agiter.
Servir dans un verre à martini.

Tout feu
Toute flamme

Ingrédients pour un verre
1 oz (30 ml) de grappa
1,5 oz (45 ml) de liqueur de jus de
fruit Alizé Red Passion®
0,5 oz (15 ml) de crème de cassis
1,5 oz (45 ml) de jus d'orange, frais pressé
1 tranche d'orange

Préparation
Dans un shaker à moitié rempli de glaçons, verser
tous les ingrédients sauf l'orange, et bien agiter.
Servir avec des glaçons dans un verre à
whisky (old fashioned) et décorer
d'une tranche d'orange.

Point G

Ingrédients pour un verre
1 oz (30 ml) de tequila
0,5 oz (15 ml) de Grand Marnier®
Un quartier de limette
Fleur de sel, au goût

Préparation
Dans un verre à liqueur (shooter), verser la
tequila et le Grand Marnier.
Saler une partie du corps de son (ou sa)
partenaire et le (ou la) lécher soigneusement.
Boire cul sec et mordre à pleine
bouche dans le quartier de limette
pour en sucer tout le jus.

Mise
en
bouche

Triangles du bonheur

Ingrédients de la farce du bonheur

3 oz (90 g) de jeunes pousses d'épinards
1 c. à thé (5 ml) de beurre
1/4 tasse (65 ml) d'oignon blanc, coupé en petits dés
2 c. à soupe (30 ml) de noix de pin
1/2 tasse (125 ml) de ricotta
8 abricots séchés, hachés
Sel et poivre, au goût
2 feuilles de pâte phyllo
Huile d'olive
8 feuilles de basilic

Préparation

Préchauffer le four à 350 °F (175 °C).
Dans une petite poêle, faire fondre le beurre et faire suer les épinards et l'oignon blanc à feu doux et réserver.
Dans une poêle, faire griller les noix de pin à sec et réserver.
Dans un bol, combiner les épinards, l'oignon, les noix de pin, la ricotta, les abricots, le sel et le poivre.
Badigeonner une feuille de pâte phyllo d'huile d'olive et la recouvrir d'une deuxième feuille de pâte phyllo.
Couper la pâte en bandes de
2 po x 13 po (5 cm x 33 cm).
À la base de la bande, déposer une feuille de basilic, et par-dessus, 1 c. à soupe (15 ml) de farce.
Prendre le coin droit de la bande et le replier sur le côté gauche de la bande pour faire une pointe de triangle. Replier le triangle sur le côté droit de la bande, puis sur le côté gauche de la bande, et répéter l'opération (de droite à gauche) jusqu'à la fin de la bande.
Coller le bout de la pâte avec un peu d'huile d'olive, puis recommencer le processus avec une nouvelle bande de pâte, jusqu'à ce que toute la farce ait été utilisée.
Faire dorer les triangles au four pendant environ 10 minutes et les servir nappés de sauce du bonheur.

Dix minutes de cuisson

À faire vibrer ton caisson

Et au final jouissons

Nos cris à l'unisson

Puis laissons refroidir

Et peu à peu se désunir

Nos sexes mis à l'épreuve

Dans ce fabuleux hors-d'œuvres

Copyright Cyr
(www.poesie-erotique.net/mespoemes)

Version avec pâte à rouleaux impériaux

Utiliser un carré de pâte de 8 po (20 cm) et le couper en 4.
Employer la même technique de pliage, mais coller la pâte avec
un peu de blanc d'œuf.
Faire frire les triangles dans de l'huile d'arachide pendant
environ 2 minutes.

Ingrédients de la sauce du bonheur

1/2 tasse (125 ml) de sucre
1 c. à soupe (15 ml) d'eau
1/3 tasse (85 ml) de vinaigre de cidre
1/3 tasse (85 ml) de vin rouge

Préparation

Dans une petite casserole, combiner le sucre et l'eau, et faire
fondre le sucre à feu modéré sans remuer (sinon, le mélange se
cristalliserait) jusqu'à ce que le liquide caramélise légèrement.
Déglacer avec le vinaigre et le vin, et faire réduire de moitié à feu vif.

La caresse de la ricotta, le marquage de la noix
de pin et l'arôme de l'abricot – reconnu comme
synonyme de grande qualité dans un vin – en
association avec la sauce du bonheur, viendront
combler votre palais. Frissons en prime!

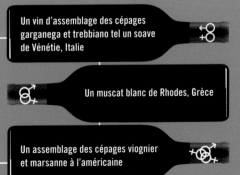

Un vin d'assemblage des cépages
garganega et trebbiano tel un soave
de Vénétie, Italie

Un muscat blanc de Rhodes, Grèce

Un assemblage des cépages viognier
et marsanne à l'américaine

LA PEAU DOUCE
ET LA CHAIR
PULPEUSE DE
L'ABRICOT
ÉTAIENT
ADORÉES PAR
LES ABORIGÈNES.
ILS EN FAISAIENT
UNE PURÉE AVEC
LAQUELLE ILS
MASSAIENT LES
ZONES ÉROGÈNES
DE LEURS
PARTENAIRES.

Pétoncles en cuillère

Ingrédients de la vinaigrette
2 c. à soupe (30 ml) d'huile d'olive
1 c. à soupe (15 ml) d'huile de noix
1/2 lime – jus et zeste
2 c. à soupe (30 ml) de mirin*
1 c. à thé (5 ml) de poivre rose, pilé au mortier
1/2 clémentine – jus et zeste

Ingrédients des pétoncles
2 gros pétoncles coupés en dés
1/2 mangue fraîche, pelée et coupée en brunoise
Caviar de Mujol (facultatif)
Fleur de sel, au goût

Préparation
Combiner les ingrédients de la vinaigrette.
Une heure avant de servir, incorporer les pétoncles et la mangue à la vinaigrette.
Dresser dans six cuillères, puis garnir de caviar et saupoudrer de fleur de sel.

* Vin de riz japonais vendu dans les supermarchés et dans les épiceries
  asiatiques ou fines.

Apprêté à l'asiatique, ce panaché marin vous offre une symphonie de saveurs nouvelles en bouche. Un préambule festif qui prépare à la bombance. Un vin blanc qui a de la colonne est requis pour remettre à l'ordre les papilles en joie.

Un vin blanc sec – un gewurztraminer de cru réputé de préférence – d'Alsace, France

Champagne brut millésimé, alliant puissance, finesse et structure

Un blanc sec du cépage viognier… Un condrieu des Côtes du Rhône, France

LE PÉTONCLE A
LA RÉPUTATION
DE FAIRE
GRIMPER
LE NIVEAU
D'HORMONES
SEXUELLES. SA
CHAIR EST DOUCE
ET AGRÉABLE
POUR LA LANGUE.

Câlins de canard

Ingrédients

Un magret de canard d'environ 12 oz (350 g)
Sel et poivre, au goût
1 c. à soupe (15 ml) de quatre-épices*
2 betteraves de couleur, pelées
1 c. à soupe (15 ml) de beurre
3/8 tasse (95 ml) de mirin**
2 c. à soupe (30 ml) de miel
3/8 tasse (95 ml) de vinaigre de riz
Sel et poivre, au goût
Queues d'un oignon vert, émincées

BIEN QUE LA BETTERAVE PUISSE AVOIR L'AIR BANAL, ELLE SERAIT LE NOUVEAU SECRET DE LA VITALITÉ. ELLE AURAIT UNE INFLUENCE POSITIVE SUR LA PRODUCTION D'HORMONES.

Préparation

Pratiquer de légères incisions en forme de quadrillage dans le gras du magret.
Combiner le sel, le poivre et le quatre-épices dans un plat, et passer le magret dans ce mélange.
Dans une poêle très chaude et sans gras, saisir le magret, côté gras vers le bas, pendant 3 minutes.
Le retourner et poursuivre la cuisson pendant 3 minutes, retirer l'excédent de gras puis réserver.
Pendant qu'il repose (5 minutes), tailler les betteraves en julienne.
Dans une poêle, faire fondre le beurre à feu moyen, et ajouter les betteraves, le mirin, le miel, le vinaigre, le sel et le poivre.
Faire mijoter le mélange jusqu'à ce que les betteraves soient tendres et que le liquide se soit évaporé, environ 5 minutes.
Une minute avant la fin de la cuisson, ajouter les queues d'oignon vert et réserver.
Couper le magret en fines tranches. Garnir les tranches de quelques juliennes de betteraves et les rouler,
puis les piquer d'un cure-dents.

* Le quatre-épices est un mélange composé de poivre, clou de girofle, muscade et gingembre.
  On le retrouve dans les supermarchés.

** Vin de riz japonais vendu dans les supermarchés et dans les épiceries asiatiques ou fines.

Le cépage grenache, que l'on nomme garnacha en espagnol, sied bien aux mélanges d'épices que l'on retrouve dans cette recette. Particulièrement, il soutient harmonieusement les saveurs déployées par le quatre-épices. Un vin plein de soleil pour accompagner cet oisel aux aromates éveillant les sens est tout indiqué.

Un vin de *garnacha* de Toro ou Ribera del Duero, Espagne

Un vin de grenache de la région de l'Hérault, du sud de la France

Un cannonau de l'île de Sardaigne, Italie

Pétillants d'huîtres aux fraises

Ingrédients
6 huîtres
1 tasse (250 ml) de morceaux de fraises fraîches
1/2 lime – jus et zeste
2 c. à soupe (30 ml) de mirin*
Poivre long moulu, au goût
Eau pétillante, vin mousseux ou champagne

Préparation
Ouvrir les huîtres et les vider avec leur jus dans six
verres à liqueur (shooter).
Déposer les fraises, le jus et le zeste de lime, le mirin et
le poivre dans la jarre d'un mélangeur et les réduire en
un jus onctueux et mousseux.
Verser le jus dans les verres jusqu'au trois quarts du verre.
Terminer avec l'eau pétillante, le vin mousseux ou
le champagne.

* Vin de riz japonais vendu dans les supermarchés
   et dans les épiceries asiatiques ou fines

SYMBOLE DE VÉNUS, LA DÉESSE DE L'AMOUR, LA FRAISE EST JUTEUSE, SUCRÉE, ROUGE ET EN FORME DE CŒUR. L'HUÎTRE ELLE, ÉVOQUE LA PASSION. RICHE EN ZINC, ELLE FAVORISERAIT LA PRODUCTION DE SPERME. QUELLE FUSION!

Noix mielleuses

Ingrédients
1/4 tasse (65 ml) de miel ou de sirop d'érable
Une noix de beurre
1 tasse (250 ml) de noix mélangées (amandes, pacanes, noix de Grenoble, noisettes)
Fleur de sel, au goût

Préparation
Préchauffer le four à 375 °C (190 °C).
Mélanger le miel et le beurre, et chauffer ce mélange au four à micro-ondes pendant 30 secondes pour le liquéfier.
Incorporer les noix au miel chaud.
Tapisser une plaque à pâtisserie de papier parchemin.
Verser le mélange sur la plaque en répartissant uniformément les noix.
Cuire au four environ 20 minutes et retourner les noix à mi-cuisson.
Les sortir du four et les saupoudrer de fleur de sel.
Laisser refroidir les noix à la température ambiante pendant 20 minutes.

Variation
Remplacer les noix par du maïs soufflé et le faire cuire pendant 7 minutes.

LA NOIX EST LE SYMBOLE DE LA FERTILITÉ; LE MIEL, LE PLUS SÉDUCTEUR DE TOUS LES NECTARS; L'ÉRABLE, UNE DOUCEUR SUCRÉE ET UN LIQUIDE BLOND IRRÉSISTIBLE. ENSEMBLE, UN COCKTAIL FOUGUEUX!

Ici, la bouche sucrée donnera un effet de douceur, et les noix apporteront l'amertume et la longueur en bouche. En association avec la fleurance d'un divin nectar, vous succomberez aux charmes de votre Aphrodite ou de votre Éros.

Un bel italien – un Vin Santo de Toscane, Italie

Un xérès amontillado d'Andalousie, Espagne

Un « rhum vieux agricole » de la Martinique

« *Amandes*, douces amandes, qu'emprisonnent mes dents
Tu fais monter en moi l'envie d'être l'amant
Ah! Que craque la belle ton doux et long corps blanc
Et que monte en ton âme, amante, un feu ardent »

Romainville, XVIIIe siècle

Coquine de foies de volaille

Ingrédients

1 tasse (250 ml) de jus de pomme
7 oz (200 g) de foies de volaille, parés et coupés en morceaux
1/4 tasse (65 ml) de canneberges séchées
3/8 tasse (95 ml) de crème 35 %
Sel et poivre, au goût
1 c. à thé (5 ml) de cardamome moulue
3 c. à soupe (45 ml) de beurre mou
1/4 tasse (65 ml) de pistaches

Préparation

Dans une poêle, faire frémir le jus de pomme, y déposer les foies de volaille et couvrir.
Pocher les foies environ 5 minutes à feu modéré et retirer du feu.
Retirer les foies, les éponger avec du papier essuie-tout et les réserver.
Déposer les canneberges dans le jus de cuisson des foies 5 minutes, puis les égoutter.
Transférer les foies dans le bol d'un robot culinaire et leur ajouter, dans l'ordre suivant, la crème, le sel, le poivre, la cardamome et le beurre.
Réduire le mélange en une mousse onctueuse.
Verser la mousse dans un bol, et incorporer les pistaches et les canneberges.
Transférer le mélange sur une feuille de pellicule de plastique, faire un rouleau et le réfrigérer 3 heures. (On peut aussi transférer la mousse dans un ramequin)
Déballer le rouleau et le couper en tranches.
Servir avec du pain brioché ou du pain baguette.

Pour cet amuse-bouche aux saveurs recherchées et à la texture veloutée tapissant le palais, il est de mise que le vin soit un complice intime. Un vin blanc doté d'un équilibre irréprochable, avec une finale grasse, sera ce partenaire qui vous titillera les sens.

Un quart-de-chaumes ou un coteaux-du-layon, du Val de Loire, France

Un vin blanc sec de calibre, tel un meursault, de la Côte-d'Or en Bourgogne, France

Un vin doux naturel (VDN), donc légèrement sucré, issu du cépage muscat, de Vénétie, Italie

Côté jardin pour les aventuriers, une bière blonde légère et bien fraîche avec un quartier de lime est un bon partenaire adultérin. Côté cour, avec un peu de fantasmes, vous vous croirez dans une suite somptueuse en partageant les effluves herbacés aux effets véhéments de la menthe ou de la coriandre, selon votre choix.

Une ale blonde légère, mexicaine ♂+♀

Un vin blanc issu du cépage sauvignon blanc de la Nouvelle-Zélande ♂♀

Une tequila blanche ♂+♀+⚥

ON A LONGTEMPS CONSIDÉRÉ LA CHAIR DE L'AVOCAT COMME UN STIMULANT APHRODISIAQUE. POUSSANT EN PAIRE AU BOUT DE SA BRANCHE, IL PEUT RESSEMBLER À DES TESTICULES. LE CUMIN, LUI, ÉTAIT EMPLOYÉ PAR LES ARABES QUI EN FAISAIENT UNE PÂTE AVEC LES GRAINES BROYÉES. CELLE-CI SERAIT EUPHORISANTE, SURTOUT CHEZ LA FEMME! OLÉ OLÉ!

Guacamole Olé Olé!

Ingrédients

1 avocat bien mûr
1 c. à soupe (15 ml) de jus de citron
Coriandre ou menthe fraîche au goût, finement hachée
Une pincée de cumin moulu
1 c. à soupe (15 ml) d'eau pétillante
4 gouttes de sauce Tabasco®
Sel et poivre, au goût

Préparation

Dans un bol, mélanger tous les ingrédients à la fourchette ou à la main et servir avec des tortillas.

Préliminaires

ON DIT DE LA
CARDAMOME
QU'ELLE A
DES VERTUS
STIMULANTES, LA
CROQUER APRÈS LE
REPAS RAFRAÎCHI
L'HALEINE ET
PRÉPARE LA SUITE.

Coco velouté

Ingrédients

1/2 courge musquée [21 oz (600 g)]
2 c. à soupe (30 ml) d'huile d'olive
3 gousses d'ail
1 oignon moyen, coupé en dés
1 c. à soupe (15 ml) de gingembre frais, haché
1 c. à thé (5 ml) de beurre
1 pomme, pelée et coupée en dés
1 tasse (250 ml) de lait de coco
1 1/2 tasse (375 ml) de bouillon de poulet
Sel et poivre, au goût
1/2 c. à thé (2,5 ml) de cardamome moulue

Préparation

Préchauffer le four à 375 °F (190 °C).
Évider la courge, la huiler et déposer l'ail dans sa cavité.
Déposer la courge sur une plaque à pâtisserie, la recouvrir d'une feuille de papier d'aluminium et la faire cuire au four jusqu'à ce qu'elle soit bien tendre, de 20 à 25 minutes. Réserver.
Entre-temps, dans une casserole, faire revenir l'oignon et le gingembre à feu moyen dans le beurre.
Ajouter la pomme au mélange et laisser mijoter quelques minutes.
Retirer la chair cuite de la courge, la piler à la fourchette et l'ajouter à la casserole.
Combiner le lait de coco et le bouillon de poulet, et verser le liquide dans la casserole.
Saler, poivrer et ajouter la cardamome.
Laisser mijoter le velouté environ 15 minutes.

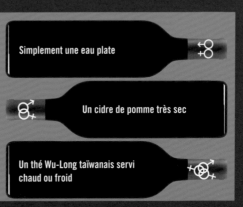

Ici, nous recherchons la caresse autant aromatique que gustative. La texture du velouté amènera un « gommage » du palais et déploiera le tapis rouge directement dans la gorge. Le cidre appréciera ce passage créé spécialement pour son style. Nous voguerons ici sur les oppositions texturales. Pour les palais aimant les douceurs particulières, un thé servi froid en shooter amplifiera la texture beurrée et onctueuse de la noix de coco.

Simplement une eau plate

Un cidre de pomme très sec

Un thé Wu-Long taïwanais servi chaud ou froid

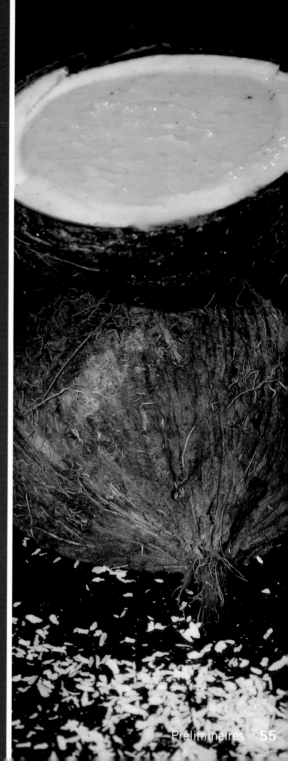

Fantasmes moelleux

Ingrédients
4 à 6 os à moelle de bœuf
Fleur de sel
Ciboulette fraîche, ciselée
Pain baguette

Préparation
Préchauffer le four à 450 °F (230 °C).
Déposer les os sur une plaque à pâtisserie.
Faire cuire environ 20 minutes.
Surveiller la cuisson : il ne faut pas trop cuire les os, car la moelle pourrait se transformer en huile. Pour vérifier la cuisson, enfoncer une lame de couteau dans la moelle et tester la chaleur de la lame sur les lèvres.
Servir sur une planche de bois, saupoudrer de fleur de sel et de ciboulette, et déguster avec la baguette.

La moelle! Quel plaisir sensuel… jusqu'au fond de l'os. Le gras et la texture moelleuse de ce plat se doivent de mettre en valeur son vin d'accompagnement. Un vin ayant une structure racée, capable d'affronter ce contact charnel tout en s'exposant à en redemander… encore et encore.

Un barolo du Piémont, Italie, sans contredit

Un pinot noir à la persistance aromatique intense de Central Otago, Nouvelle-Zélande

Un pinot noir de la région de la Russian River, État-Unis

Roulades échevelées au crabe

Ingrédients des roulades

1/4 de concombre anglais
1/2 carotte
1/4 de mangue
1/4 de poivron rouge
6 feuilles de menthe fraîche
2 oignons verts
1 c. à soupe (15 ml) de mirin*
1 c. à soupe (15 ml) de vinaigre de riz
Sel et poivre, au goût
4 feuilles de riz
1 c. à soupe (15 ml) de graines de sésame noir
Une poignée de roquette miniature
3,5 oz (100 g) de chair de crabe

Préparation

Couper le concombre, la carotte, la mangue et le poivron rouge en julienne, et transférer dans un bol moyen.
Ciseler la menthe et l'oignon vert, et les ajouter à la julienne.
Ajouter le mirin et le vinaigre de riz au mélange ci-dessus, assaisonner au goût et bien mélanger.
Faire tremper les feuilles de riz une à une dans de l'eau tiède et les égoutter sur du papier essuie-tout.
Déposer une feuille de riz sur une surface de travail et la garnir de graines de sésame, de roquette, de crabe et de la julienne, puis la rouler serrée.

Répéter l'opération avec les trois autres feuilles de riz, trancher les quatre rouleaux en bouchées et les disposer joliment sur une assiette de service.

Ingrédients de la sauce

3/8 tasse (95 ml) d'eau
2 c. à soupe (30 ml) de sauce de poisson**
1 c. à soupe (15 ml) de jus de limette
1 c. à soupe (15 ml) de sucre
2 c. à soupe (30 ml) de sauce au chili sucrée du commerce

Préparation

Dans un petit bol, mélanger les ingrédients. Transférer la sauce dans un petit plat de service et servir avec les roulades.

* Vin de riz japonais vendu dans les supermarchés et dans les épiceries asiatiques ou fines.

** Sauce liquide très salée au parfum puissant, obtenue par la fermentation de poisson salé, et employée en cuisine asiatique pour saler les mets. Appelée nuoc mam en vietnamien, nam pla en thaï et shottsuru en japonais. On la retrouve dans les supermarchés.

Un vin blanc sec d'appellation muscadet du Val de Loire, France

Un riesling de la vallée du Niagara, Canada

Un crémant d'Alsace, France

Avec sa chair fine et délicate, la texture du crabe sera une composante agréable pour accompagner ce fatras de légumes aux allures ébouriffées. Adoptez aussi cette allure : c'est vendredi soir après tout! Relax, baby! Relax! Un vin sans prétention et sans oppositions harmoniques saura se faire apprécier verre après verre…

Un accord réussi avec le bœuf est souvent lié aux affinités des textures avec le vin. Les protéines et le gras sapide de la viande adoucissent les tanins du vin et sont un vecteur de goût indéniable. Servi en tartare, le bœuf sied bien à un vin rouge très parfumé au nez exubérant et aux tanins très soyeux. Un vin rouge léger et fruité fera aussi bon ménage. Mais avec du parmigiano reggiano en guise de complément, un vin blanc parfumé sera votre atout caché pour une opération de charme. Les vins rouges corsés aux tanins agressifs sont à oublier.

⚥ Un cabernet franc d'appellation anjou ou touraine, Val de Loire, France, tel un bourgueil ou un chinon

⚥ Un Dolcetto d'Alba, du Piedmont, Italie

⚧ Un vin blanc produit en monocépage, issu du gewurztraminer

LA ROQUETTE EST BOURRÉE DE PROPRIÉTÉS REVIGORANTES ET STIMULANTES QUI DONNENT DE L'ENTRAIN AUX PERSONNES QUI EN MANGENT. AU 12^E SIÈCLE, L'ABBESSE HILDEGARDE DE BINGEN, PHYTOTHÉRAPEUTE ET GUÉRISSEUSE LA DÉCRIT COMME « EXCITANTE AUX JEUX DE L'AMOUR » ET L'INTERDISAIT AUX NONNES.

Chair fraîche

Ingrédients

7 oz (200 g) de filet de bœuf
Sel, au goût
1 c. à soupe (15 ml) de poivre vert concassé
1 c. à soupe (15 ml) de beurre
1 c. à soupe (15 ml) d'huile d'olive
Huile de truffe, au goût
Fleur de sel
1 oz (28,5 g) de copeaux de parmesan reggiano
3,5 oz (100 g) de minipousses de roquette

Préparation

Saler le filet de bœuf et le rouler dans le poivre vert concassé.
Saisir le filet dans le beurre et l'huile 30 secondes de chaque côté.
Faire refroidir le filet au frigo et le couper en tranches minces.
Dans une assiette de service bien froide, étaler les tranches de boeuf et les arroser d'un filet d'huile de truffe, les saupoudrer de fleur de sel et les garnir de copeaux de parmesan.
Servir avec la roquette.

Tendre peau de ma convoitise qui me met en transe
Chair fraîche de mon éternelle appétence,
Moi vierge et pour la première fois galante
Laisse-moi me délecter de ta texture concupiscente

Alain Dumulong

Tabou poêlé
au cacao

Ingrédients du foie gras
7 oz (200 g) de foie gras, déveiné
Sel, au goût
1 c. à soupe (15 ml) de beurre de cacao en poudre*
1 c. à soupe (15 ml) de poudre de cacao
Poivre, au goût

Préparation
Préchauffer le four à 400 °F (205 °C).
Trancher le foie gras en deux et saler chaque morceau des deux côtés.
Mélanger le beurre de cacao et le cacao, et enduire le foie gras de ce mélange.
Chauffer une grande poêle à feu vif et y saisir le foie gras pendant environ
30 secondes de chaque côté.
Transférer le foie gras sur une plaque à pâtisserie et l'enfourner pendant 5 minutes.
Déposer le foie gras sur du papier essuie-tout pour absorber l'excédent de gras et poivrer.

Ingrédients de la sauce aux cerises
1 c. à thé (5 ml) de beurre
1 échalote grise, ciselée
1/2 tasse (125 ml) de cerises noires, surgelées
1 c. à soupe (15 ml) de sucre
Sel et poivre, au goût

Préparation
Dans une poêle, faire fondre le beurre à feu moyen et y faire revenir l'échalote
jusqu'à ce qu'elle soit tendre.
Ajouter les cerises et laisser mijoter quelques minutes.
Ajouter le sucre, assaisonner au goût et poursuivre la cuisson pendant 2 à 3 minutes.

Servir le foie gras avec la sauce aux cerises et du pain grillé.

* Le beurre de cacao en poudre empêche le foie gras de fondre trop rapidement. On le retrouve
essentiellement dans les chocolateries, sous forme de poudre jaune pâle.

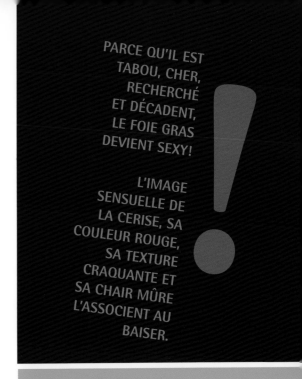

PARCE QU'IL EST TABOU, CHER, RECHERCHÉ ET DÉCADENT, LE FOIE GRAS DEVIENT SEXY!

L'IMAGE SENSUELLE DE LA CERISE, SA COULEUR ROUGE, SA TEXTURE CRAQUANTE ET SA CHAIR MÛRE L'ASSOCIENT AU BAISER.

Appétissant, séduisant, provocateur, voire excitant, le foie gras apprêté de cette façon appelle un vin rouge pour qu'il affiche ses vertus. Il y a de ces soirs, comme ça, où la vie vaut la peine qu'on la baise jusqu'au cul de la bouteille.

Un vin doux naturel (VDN) – un maury du Roussillon, en France

Un porto tawny de 10 ans ou mieux, de 20 ans…

Un vin liquoreux d'appellation sauternes ou barsac de Bordeaux, France

L'audacieuse
et ses œufs

4 pommes de terre rattes
14 oz (400 g) de haricots verts
4 œufs de caille
4 tomates cerises, coupées en deux
6 olives noires, dénoyautées
Une poignée de laitue niçoise

Préparation de l'audacieuse

Cuire les pommes de terre dans une eau salée, puis égoutter et réserver.
Blanchir les haricots à l'eau bouillante salée, les refroidir à l'eau froide, puis égoutter et réserver.
Faire cuire les œufs de caille à l'eau vinaigrée (comme des œufs cuits durs) pendant 4 minutes, les passer sous l'eau froide, en retirer la coquille et les couper en deux, puis réserver.

Le pire ennemi du vin est la vinaigrette. Son acidité peut atrophier toutes les qualités d'un vin. Mais la moutarde et le yogourt utilisés comme liants compensent par leurs saveurs en réduisant l'acidité. Ici, l'accord avec le vin est conséquent, et donc, audacieux!

Une eau plate... sans risque

Un vin blanc sec iodé, peu acide et aromatique, tel un chablis de Bourgogne, France

Un rosé de la Provence, France

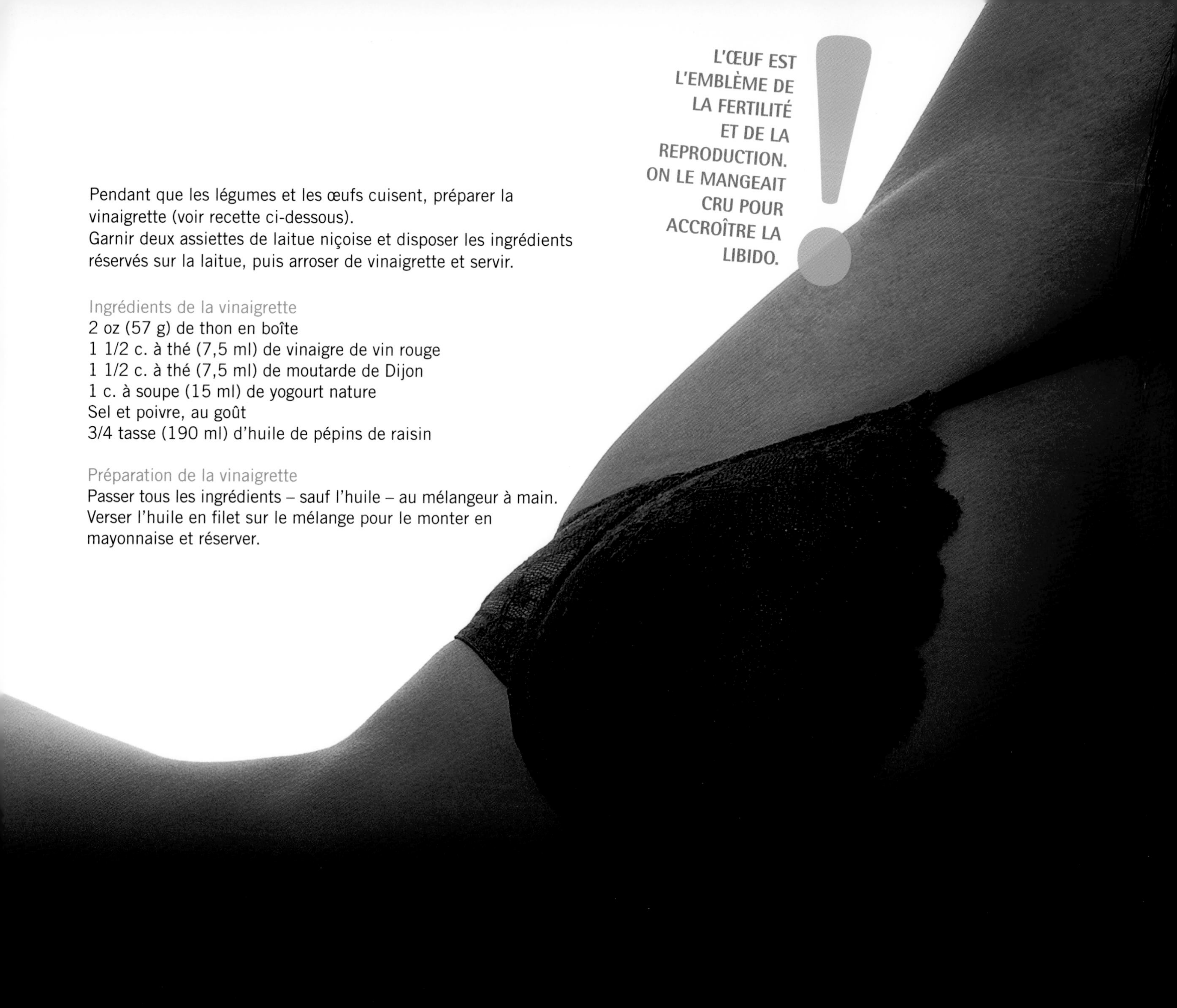

Pendant que les légumes et les œufs cuisent, préparer la vinaigrette (voir recette ci-dessous).
Garnir deux assiettes de laitue niçoise et disposer les ingrédients réservés sur la laitue, puis arroser de vinaigrette et servir.

Ingrédients de la vinaigrette
2 oz (57 g) de thon en boîte
1 1/2 c. à thé (7,5 ml) de vinaigre de vin rouge
1 1/2 c. à thé (7,5 ml) de moutarde de Dijon
1 c. à soupe (15 ml) de yogourt nature
Sel et poivre, au goût
3/4 tasse (190 ml) d'huile de pépins de raisin

Préparation de la vinaigrette
Passer tous les ingrédients – sauf l'huile – au mélangeur à main.
Verser l'huile en filet sur le mélange pour le monter en mayonnaise et réserver.

L'ŒUF EST L'EMBLÈME DE LA FERTILITÉ ET DE LA REPRODUCTION. ON LE MANGEAIT CRU POUR ACCROÎTRE LA LIBIDO.

Cette réunion excessive d'encornets frits avec leur sauce aux saveurs chaudes et relevées nous transporte inéluctablement dans le bassin méditerranéen. Place à l'orgie : l'heure est à l'excès! Des vins à caractère festif sont tout à fait de circonstance.

Un vin blanc mousseux, tel un Brut Reserva Cava de la Catalogne, Espagne

Un rosé d'appellation tavel des Côtes du Rhône, France

Un patrimonio, vin blanc sec issu du cépage vermentino en Corse, France

Orgie de calmars

Ingrédients de la sauce

4 c. à soupe (60 ml) de marmelade d'oranges du commerce
1/2 c. à thé (2,5 ml) de raifort préparé du commerce
1 c. à soupe (15 ml) d'eau
Sel et poivre, au goût

Préparation de la sauce

Dans un petit bol, combiner tous
les ingrédients et réserver.

Ingrédients des calmars

4 à 5 calmars nettoyés [10,5 oz (300 g)]
6 gouttes de sauce Tabasco®
1/2 tasse (125 ml) de farine tout-usage
1/2 tasse (125 ml) de farine de riz
Sel et poivre, au goût
1 c. à thé (5 ml) de paprika
Huile d'arachide en quantité suffisante

Préparation des calmars

Couper les calmars en rondelles de 1/2 po (1 cm).
Les déposer dans un bol et ajouter 6 gouttes de sauce
Tabasco, puis bien mélanger.
Dans un bol moyen, combiner les farines, le sel, le poivre et
le paprika.
Passer les calmars dans le mélange de farine pour les paner,
et les secouer pour en enlever l'excédent de farine.
Dans une grande casserole, faire chauffer l'huile.
Faire frire les calmars dans l'huile pendant environ une
minute et les servir avec la sauce.

LA PULPE DU RAIFORT SERAIT APHRODISIAQUE ET LES GRECS L'UTILISAIENT POUR SE MASSER LE DOS.

Baiser de champignons

Ingrédients

Une pincée de safran
1/4 tasse (65 ml) de vin blanc sec
2 gros champignons portobello
Huile d'olive en quantité suffisante
4 tranches de pancetta douce
16 escargots moyens, rincés et égouttés
1 gousse d'ail, finement hachée
Poivre, au goût
1/2 tasse (125 ml) de crème 35 %
1 oignon vert

Préparation

Préchauffer le four à 350 °F (175 °C).
Faire tremper le safran dans le vin blanc.
Préparer les portobellos : en retirer doucement le pied et en gratter la partie noire à l'aide d'une cuillère.
Badigeonner les champignons d'huile et les faire cuire au four 5 minutes. Réserver.
Dans une poêle, faire revenir la pancetta dans un peu d'huile et retirer ensuite l'excédent de gras.
Ajouter les escargots et l'ail à la pancetta, et les poêler 1 minute.
Déglacer le poêlon au vin blanc et poivrer le mélange.
Ajouter la crème au mélange et le faire réduire 3 minutes.
Tout juste avant de servir, ajouter l'oignon vert au mélange.
Garnir un premier champignon du mélange, le recouvrir d'un deuxième champignon et partager cette assiette à deux!

Le safran, épice reine, et la douce pancetta sont au cœur des sensations gustatives sur cette trame moelleuse qu'apportent les portobellos et les escargots, soutenus par l'enrobage crémeux. Ce mets requiert un vin blanc ayant les capacités d'étayer cette savoureuse rencontre.

Un chardonnay de Californie, États-Unis légèrement boisé, sans plus

Un chardonnay canadien du Bench de la vallée du Niagara

Un riesling d'Alsace, France qui saura vous exciter les papilles à souhait!

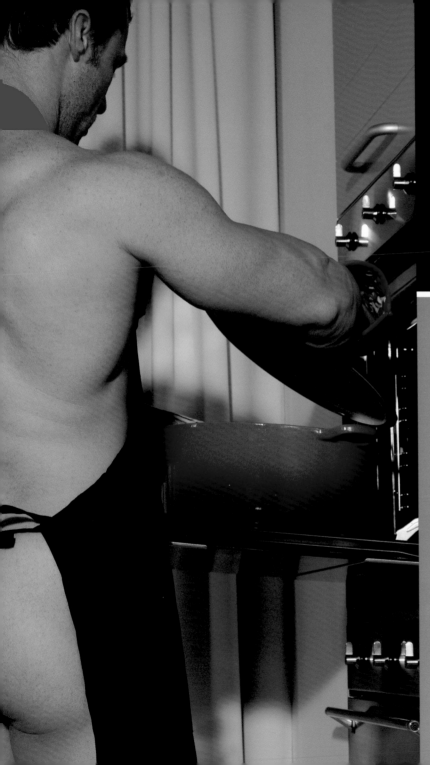

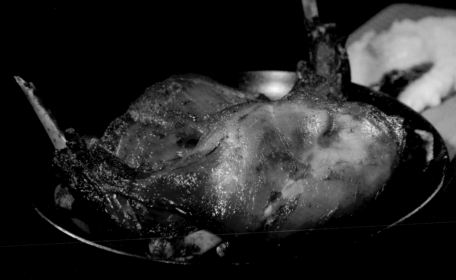

Chaud lapin

Ingrédients du lapin
2 cuisses de lapin de 8 oz lb (225 g) chacune
4 tasses (1 L) de gras de canard

Ingrédients de la marinade sèche
1 c. à thé (5 ml) de quatre-épices*
2 c. à soupe (30 ml) de cassonade
1 gousse d'ail, finement hachée
1/4 tasse (65 ml) de gros sel

Préparation
Préchauffer le four à 300 °F (150 °C).
Sur une plaque à pâtisserie, déposer les
cuisses de lapin, côté peau vers le bas.
Mélanger les ingrédients de la marinade
sèche et en enduire les cuisses de lapin

TANDIS QUE LA
MUSCADE DILATE LES
VAISSEAUX SANGUINS
ET AUGMENTE LA
CHALEUR DU CORPS,
QUE LE POIVRE EXCITE
LES SENS, QUE LE
CLOU DE GIROFLE
EST CONSIDÉRÉ
COMME L'UN DES
PLUS PUISSANTS
APHRODISIAQUES
NATURELS, LE
GINGEMBRE LUI,
FACILITERAIT
L'ÉRECTION ET LE DÉSIR
CHEZ LA FEMME. VIVE
LE QUATRE-ÉPICES!

Les notes épicées que la marinade confère au confit de lapin apportent une douceur et une suavité tonifiées en bouche, tout comme un French kiss.

À ce mets se marieront merveilleusement bien des vins conçus à base des cépages tempranillo, mourvèdre ou tannat, et il s'en produit d'excellents un peu partout sur la planète. Mais la cuisson par confit appelle la grande finesse qui s'exprime particulièrement dans les vins de syrah des appellations du nord des Côtes du Rhône, en France.

Un vin rouge de syrah – un cornas ou un côte-rôtie des Côtes du Rhône, France

Un vin rouge de tempranillo de grande qualité de Ribera del Duero, Espagne

Un pinot noir réputé du Canada ou de la Nouvelle-Zélande d'un beau millésime… à découvrir!

en appuyant bien sur la viande afin que la marinade y adhère.
Recouvrir d'une pellicule de plastique et réfrigérer pendant 24 heures.
Retirer la marinade des cuisses de lapin en les essuyant avec une feuille de papier essuie-tout humide.
Dans un plat allant au four, faire fondre le gras de canard à feu moyen.
Déposer les cuisses de lapin dans le gras fondu et les faire cuire au four à couvert pendant environ 2 heures.
Retirer les cuisses de lapin du four et les égoutter. Réserver.
Au moment de servir, préchauffer l'élément de grillage (Broil) du four et faire griller les cuisses de lapin pendant environ 5 minutes.

Accompagner le confit de lapin d'une délicieuse purée de chou-fleur et de céleri-rave (voir recette).

* Le quatre-épices est un mélange composé de poivre, clou de girofle, muscade et gingembre. On le retrouve dans les supermarchés.

Purée de chou-fleur et de céleri-rave

Ingrédients
1/2 chou-fleur [9 oz (260 g)]
1/2 céleri-rave [8 oz (230 g)]
1/2 fenouil [7 oz (200 g)]
1/4 de tasse (65 ml) de crème 35 %
4 c. à soupe (60 ml) de beurre
Sel et poivre, au goût

Préparation
Couper les légumes en morceaux et les faire cuire à l'eau bouillante salée jusqu'à qu'ils soient bien tendres.
Bien égoutter les légumes et les transférer dans le bol d'un mélangeur.
Leur ajouter la crème, le beurre, le sel et le poivre, et réduire en une purée onctueuse.

L'agneau appelle des vins structurés qui ne compromettent pas la finesse en bouche. L'équilibre des grands! Les amants du vin le savent pour y avoir déjà gouté – les néophytes seront conquis. Les mots me manquent. Frissons dans le dos et palais en orgasme…. Encore, encore! J'en veux encore!

Un pauillac de grand renom – pour les bourses bien garnies – ou un cru bourgeois de Moulis, de Bordeaux, France

Un rouge – un grand vin de pays de l'Hérault du Roussillon, France

Un « super toscan » d'Italie

LE FENOUIL SERAIT CONSIDÉRÉ COMME UN ESTROGÈNE NATUREL QUI AUGMENTE LE TONUS SEXUEL.

Plaisirs charnels d'agneau

Ingrédients
2 souris d'agneau
1 gousse d'ail, finement hachée
2 c. à soupe (30 ml) de menthe fraîche, hachée
1 c. à thé (5 ml) d'huile d'olive
1/4 tasse (65 ml) de farine
Huile d'olive en quantité suffisante
1 oignon moyen, haché
1/2 fenouil, coupé en dés [5 oz (140 g)]
1/2 céleri-rave, coupé en dés [8 oz (230 g)]
1 1/2 tasse (375 ml) de bouillon de volaille
Sel, au goût
Poivre moulu, au goût
7 à 10 feuilles de menthe

Préparation
Préchauffer le four à 300 °F (150 °C).
Faire 4 ou 5 incisions par souris.
Mélanger l'ail, la menthe et l'huile, et insérer ce mélange dans les incisions des souris.
Emballer les souris dans une pellicule de plastique et réfrigérer 3 heures.
Fariner les souris et faire chauffer un peu d'huile à feu vif dans un chaudron épais. Saisir les souris de chaque côté, les retirer du chaudron et réserver.
Dans le même chaudron, ajouter un peu d'huile et faire revenir l'oignon, le fenouil et le céleri-rave pendant quelques minutes.
Ajouter ensuite le bouillon de poulet, le sel et le poivre.
Remettre les souris dans le chaudron, couvrir et braiser au four, environ 1 h 30 à 2 heures ou jusqu'à ce que la viande soit tendre.
Ajouter la menthe en fin de cuisson.

Servir avec des légumes-racines comme des minis-rabioles, des carottes ou du panais.

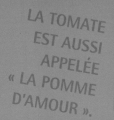

LA TOMATE EST AUSSI APPELÉE « LA POMME D'AMOUR ».

Moules prudes

Une rencontre aromatique et savoureuse aux accents méditerranéens qui charment les papilles à chaque occasion. Un vin blanc aux atouts de soleil et possédant une trame acidulée prononcée est tout indiqué pour ce rendez-vous affriolant.

Un sauvignon blanc de Pessac-Léognan, Bordeaux, France

Un autre sauvignon blanc de Sancerre, du Val de Loire, France

Un sauvignon blanc en provenance de Californie, États-Unis

Ingrédients
3 à 4 lb (1,3 à 1,8 kg) de moules
2 c. à soupe (30 ml) d'huile d'olive
2 gousses d'ail, hachées
1 oignon, haché
1/4 tasse (65 ml) de vin rouge sec
2 tasses (500 ml) de tomates en dés et son jus
2 pincées de piments forts, broyés
Sel et poivre, au goût
Persil frais haché, au goût

Préparation
Laver et brosser les moules à l'eau froide.
Dans une grande casserole, faire revenir l'ail et l'oignon dans l'huile pendant quelques minutes.
Ajouter le vin rouge et faire mijoter le mélange 3 minutes.
Ajouter les tomates et le piment fort, saler et poivrer, et faire mijoter la sauce environ 20 minutes.
Réduire la sauce en un mélange homogène au mélangeur à main.
Retirer la moitié de la sauce et réserver au chaud.
Ajouter les moules à la sauce dans la casserole, couvrir et laisser mijoter à feu moyen-vif pendant 5 minutes.
Elles sont prêtes lorsqu'elles sont ouvertes.
Retirer les moules du feu et les transférer dans un grand bol, puis les arroser du reste de la sauce et les saupoudrer de persil haché.

Bucatinis langoureux aux mollusques

Ingrédients

2 c. à soupe (30 ml) d'huile d'olive
1 tasse (250 ml) de blanc de poireau, finement tranché
1 gousse d'ail, finement hachée
1 tasse (250 ml) de pois surgelés
5 tomates cerises, coupées en deux
Une pincée de piments forts, broyés
1 boîte de mactres de Stimpson* ou de palourdes [5 oz (142 g)]
1/2 tasse (125 ml) de fumet de poisson
Sel, au goût
1 c. à soupe (15 ml) de beurre
10 palourdes fraîches, bien nettoyées (facultatif)
8 oz (225 g) de bucatinis**

Préparation

Amener une grande casserole d'eau salée à ébullition et y faire cuire les bucatinis jusqu'à ce qu'ils soient al dente. Les égoutter sans les rincer.
Entre-temps, faire chauffer l'huile à feu moyen dans une grande poêle et y faire suer le poireau et l'ail.
Ajouter les pois et les tomates à la poêle et faire cuire le mélange quelques minutes.
Ajouter les piments broyés, le jus de la boîte de mollusques (en réservant les mollusques) et le fumet de poisson. Amener le liquide à ébullition, puis baisser le feu et laisser réduire de 3 à 4 minutes.
Ajouter les mollusques, saler et incorporer le beurre, puis verser la sauce sur les bucatinis.

Ajouter quelques palourdes fraîches pour agrémenter ce plat : dans une petite casserole, amener à ébullition 1 tasse (250 ml) de vin blanc et y déposer les palourdes – elles s'ouvriront en moins de 5 minutes!

*   Pêchée dans le fleuve Saint-Laurent sur la Côte-Nord, la mactre de Stimpson est un mollusque beaucoup plus gros que la palourde. On en retrouve dans la plupart des poissonneries et dans certaines épiceries fines.

**   Les bucatinis sont des pâtes alimentaires de même longueur que les spaghettis, mais d'un plus grand diamètre, et sont troués en leur centre.

La rencontre iodée de la mer avec l'acidité de la tomate et le tonus du piment fort nécessite un accord assez souple pour que chacune des composantes puisse s'épanouir en complaisance avec sa voisine. Nous pouvons aussi être tranchants, droits et incisifs… selon les envies du moment.

Un blanc boisé – un chardonnay de l'Alto Adige du nord de l'Italie ♂+♀

Un chardonnay reserve de Californie de belle distinction ♂♀

Un rouge… un Valpolicella Ripasso mis en carafe, de la Vénétie, Italie ♂+♀

LES MOLLUSQUES ÉVOQUENT LE SEXE DE LA FEMME ET LEUR RICHESSE EN ZINC LEUR ATTRIBUT UN POUVOIR STIMULANT

Homards virils

Ingrédients des homards
2 homards de 1 3/4 lb (800 g) chacun
Eau salée* en quantité suffisante pour recouvrir les homards

Préparation
Dans une grande casserole, amener l'eau salée à ébullition et y plonger les homards, en calculant le temps de cuisson à partir du moment où l'eau se remet à bouillir.
Faire cuire les homards selon le temps de cuisson recommandé (voir tableau).
Servir les homards à peine tièdes, coupés en deux dans le sens de la longueur, et les pinces brisées.

Ingrédients de la sauce virile
1 à 2 gousses d'ail, au goût
1 jaune d'œuf
1/2 citron – jus seulement
Sel et poivre, au goût
1/2 tasse (125 ml) d'huile d'olive

Préparation
Piler l'ail au mortier et le transférer dans un petit bol.
Ajouter le jaune d'œuf, le jus de citron, le sel et le poivre, et bien mélanger.
Verser l'huile en filet sur le mélange en fouettant ce dernier pour obtenir une sauce onctueuse.

Déguster les homards accompagnés de cette sauce. Simple, rapide et délicieux!

* 1 c. à soupe (15 ml) de sel pour 4 tasses (1 l) d'eau

TABLEAU DE CALCUL DU TEMPS DE CUISSON DES HOMARDS		
Poids	Temps de cuisson (min.)	
	Mâle	Femelle
3/4 lb (340 g)	8	10
1 à 1 1/4 lb (450 g à 565 g)	10	12
1 1/2 lb (680 g)	14	16
2 lb (900 g)	16	20
3 lb (1,35 kg)	18	23

Le contact charnel intense du homard en bouche, enrobé par sa sauce doucereuse, avec un vin d'accompagnement digne de cette prestance, font de cette union une obsession... Elle vous fera monter l'escalier.

Un vin blanc sec du cépage pinot gris d'Alsace (grand cru), France

Un vin blanc du cépage viura de la Rioja, Espagne

Un vin jaune, produit à partir du cépage savagnin, du Jura, France

Poitrine séductrice à la mélasse

Ingrédients

1 magret de canard de 1 lb (450 g)
1 c. à soupe (15 ml) de vin rouge sec
1/4 tasse (65 ml) de mélasse
Poivre du Sichuan moulu, au goût
Sel, au goût

Préparation

Préchauffer le four à 375 °F (190 °C).
Mélanger le vin, la mélasse, le poivre et le sel, et faire chauffer dans une petite casserole pendant
quelques minutes et réserver au chaud.
Pratiquer de légères incisions en forme de quadrillage dans le gras du magret.
Dans une poêle allant au four, bien saisir le magret à feu vif, côté gras vers le bas, pendant 2 minutes.
Le retourner et poursuivre la cuisson pendant 2 minutes.
Retirer l'excédent de gras, laquer le magret avec un peu de sauce et l'enfourner pendant environ
8 minutes pour une cuisson saignante.
Retirer le magret du four et le laisser reposer pendant 5 minutes, pour permettre à la chair
de se détendre.
Couper le magret en tranches de 3/4 po (2 cm) d'épaisseur et napper de sauce.

Accompagner de topinambours poêlés au beurre.

Voluptueuse et dodue, cette séduction de canard vous entraînera dans un dédale savoureux où la chair et la sauce sont en symbiose. Le vin doit soutenir cette union avec un caressant doigté.

Un vin rouge de l'appellation madiran du Sud-Ouest, France

Un vin de syrah – un côte-rôtie ou un hermitage des Côtes du Rhône, France

Un shiraz australien de grand calibre

À viande blanche avec froma-ge bleu et crème, vous me direz un vin blanc sans hésitation. Soit! Et la tomate… qu'en fai-tes-vous? Un vin rouge souple et fruité ferait mieux l'affaire qu'un blanc, mais attention, pas n'importe lequel!

Un rouge provenant du nord de l'Italie, tel un nebbiolo d'Alba

Un zinfandel de Californie, États-Unis

Un vin blanc sec de belle facture d'appellation Côtes-du-Rhône, France

Au temps de Henri IV, les marchands
criaient pour faire la promotion de l'artichaut :

« L'artichaut, le bel artichaut,
C'est pour Monsieur, pour Madame,
pour réchauffer le corps et l'âme
Et pour avoir le cul chaud! «

Greluchons de veau au bleu

Ingrédients
2 côtes de veau avec os de 10 oz (285 g) chacune
Sel et poivre, au goût
3 c. à soupe (45 ml) de fromage bleu
1/3 tasse (85 ml) de vin blanc sec
2/3 tasse (170 ml) de crème 35 %
4 tomates séchées, coupées en dés

Préparation
Saler et poivrer les côtes de veau, puis les faire
griller environ 5 minutes de chaque côté pour une
cuisson rosée.
Entre-temps, combiner le bleu et le vin dans une poêle,
et cuire le mélange à feu doux en fouettant jusqu'à ce
que le bleu fonde.
Ajouter la crème et les tomates, et faire réduire la
sauce jusqu'à consistance crémeuse.

Servir les côtes nappées de sauce et les accompagner
d'un artichaut frais ou de quelques cœurs d'artichauts
en boîte (nature) réchauffés dans la sauce, d'une
salade verte et d'une pomme de terre au four.

Thon voyeur en trio

Ingrédients de la marmelade de mangues

1 mangue
1 c. à soupe (15 ml) d'huile d'olive
3 c. à soupe (45 ml) de gingembre, taillé en brunoise
3 c. à soupe (45 ml) de sucre
1/2 tasse (125 ml) d'eau
Sel et poivre, au goût

Ingrédients du thon

2 tranches de thon de 150 g (5 oz) chacune
1 c. à soupe (15 ml) de beurre
1 c. à soupe (15 ml) d'huile d'olive
Gomasio* en quantité suffisante pour enrober le thon
3 oz (100 g) de salade de wakamé**

Préparation

Réduire la mangue et l'huile en purée au mélangeur et réserver.
Dans une poêle, faire frémir le gingembre, le sucre et l'eau en faisant réduire le mélange jusqu'à évaporation de l'eau.
Combiner ensuite à la mangue et bien mélanger.
Saler, poivrer et réserver.
Poêler le thon dans l'huile et le beurre à feu vif 2 minutes de chaque côté.
Passer le thon dans le gomasio.
Servir en trio : thon, salade de wakamé et marmelade de mangues.

* Mélange de graines de sésame grillées et de sel marin vendu dans les boutiques de produits naturels.
  Gomasio maison : moudre ensemble 4 c. à soupe (60 ml) de graines de sésame grillées et 1 c. à soupe (15 ml) de gros sel marin.

** Salade d'algues vendue au supermarché ou à la poissonnerie.

Trois possibilités :

L'herbacé avec les algues (gomasio, wakame) (accord classique)
L'épicé avec le gingembre et sa compagnie... (coup de foudre)
Le moelleux avec le fruité des mangues (libertin)
Que voulons-nous combler ?
Le sulfureux, la luxure ou carrément... la débauche ?

Un mousseux sec, tel un crémant de la Bourgogne, France

Un sauvignon blanc du Bordelais, France

Un vin moelleux du Val de Loire, France, tel un vouvray

EN INDE, EN MÉDECINE AYURVÉDIQUE (MÉDECINE NATURELLE), ON PRESCRIT LE SÉSAME POUR SOIGNER LES TROUBLES SEXUELS. EN CUISINE, LES GRAINES GRILLÉES SONT IRRÉSISTIBLES!

L'ALLURE DE LA MANGUE, SA CHAIR JAUNE ONCTUEUSE ET SUCRÉE, SA DOUCEUR EN BOUCHE EN FONT UN SYMBOLE DE SEXUALITÉ EN ASIE.

Exhibition de ris de veau

Produit d'une délicatesse extrême, le ris de veau nécessite un soin particulier dans sa préparation pour qu'il puisse révéler ses textures envoûtantes. Comme en amour, les préliminaires attentionnés sont de mise pour faire place à une dégustation jouissive. Finesse oblige!

Un vin blanc sec – un meursault de Bourgogne, France

Un vin blanc d'appellation condrieu des Côtes du Rhône, France

Un magnum de champagne – un demi-sec ou un blanc de blancs

Ingrédients des ris de veau
1 3/4 lb (800 g) de ris de veau
5 tasses (1,25 L) de court-bouillon*
Beurre en quantité suffisante
1 c. à soupe (15 ml) d'huile d'olive

Préparation
Amener le court-bouillon à ébullition et pocher les ris de veau 5 minutes, les rincer à l'eau froide et les peler pour en retirer la membrane.
Dans une poêle, faire fondre suffisamment de beurre et l'huile et y faire revenir les ris de veau à feu vif, tout en les arrosant avec le beurre fondu, pour qu'ils deviennent croustillants.
Les transférer ensuite sur du papier essuie-tout.

Ingrédients de la sauce
1 c. à soupe (15 ml) d'huile d'olive
1 c. à soupe (15 ml) de beurre
1 blanc de poireau, émincé
1 c. à thé (5 ml) de poivre vert en grains
1/2 tasse (125 ml) de vin blanc sec
1/4 tasse (65 ml) de cidre de pomme
1/4 tasse (65 ml) de vermouth blanc sec
1 c. à soupe (15 ml) de miel
1/2 tasse (125 ml) de crème 35 %
1 1/2 c. à thé (7,5 ml) d'estragon frais, haché

Préparation
Dans une poêle, faire tomber le poireau dans le beurre et l'huile.
Ajouter le poivre vert et déglacer avec le vin, le cidre et le vermouth, puis faire réduire de 2 à 3 minutes.
Incorporer le miel et la crème, et faire réduire le mélange jusqu'à l'obtention d'une sauce onctueuse.
Ajouter l'estragon tout juste avant de servir.

Une simple purée de pommes de terre et patates douces accompagnent à merveille ces ris de veau.

* Court-bouillon : Feuilles de laurier, carottes, céleri, oignon, persil, ail et eau sont généralement les ingrédients utilisés.

Désir de saumon

Ingrédients

12 oz (345 g) de filet de saumon
2 c. à soupe (30 ml) de pistaches nature
1 c. à soupe (15 ml) d'aneth frais, ciselé
1 c. à soupe (15 ml) de crème 35 %
Sel et poivre, au goût
2 c. à soupe (30 ml) de ciboulette, ciselée
1 échalote grise, ciselée
1/2 citron – jus uniquement
1 1/2 c. à thé (7,5 ml) d'huile de noix

Préparation

Couper le saumon en petits dés.
Hacher grossièrement les pistaches.
Fouetter légèrement la crème.
Dans un bol, combiner tous les ingrédients.

Servir avec des pommes de terre finement tranchées, badigeonnées d'huile et grillées au four, ou tout simplement avec des chips au sel de mer.

Le chardonnay et le saumon frais, teintés aux saveurs d'aneth : un accord indiscutablement gastronomique. Ici, le choix est immense et la qualité offerte est tout aussi variée. Faites-vous plaisir!

Un bourgogne blanc de France, particulièrement de la Côte de Beaune

Un chardonnay canadien de la vallée du Niagara

Un chardonnay américain de l'Oregon, de Rutherford ou de Sonoma County, en Californie

Essentiels

Ici, la luxure a un prix. Avec l'être aimé, on ne peut se contenter que du meilleur! Jadis une viande pour les princes appelait des vins de rois. Rien de moins. Nous avons des nécessités, des luxes : ici, ce sont des nécessités luxueuses. La vie est courte…

♀♀ Un vin rouge – un châteauneuf-du-pape des Côtes du Rhône méridionales, France

♀♂ Un Brunello di Montalcino de 10 ans d'âge, de Toscane, Italie

⚥ Pourquoi pas les deux successivement!

Oui, ce sont des regards de femme
Que cherche son regard brûlant,
Elle a soif de l'ardeur infâme
Qu'une autre sait mettre en son flanc.
Les yeux hagards, le trouble à l'âme,
La langue aux lèvres se collant,
Chacune tour à tour se pâme,
Se tord et retombe en râlant

Albert Semiane 1884 (Extrait – Amours de femme)

Pulsions de cerf aux raisins

Ingrédients du cerf
1 pavé de cerf de 12 oz (350 g)
1 c. à thé (5 ml) de beurre
1 c. à thé (5 ml) d'huile d'olive

Ingrédients de la sauce
1 c. à thé (5 ml) de fécule de maïs
1 c. à soupe (15 ml) d'eau
1 tasse (250 ml) de raisins verts
1/2 tasse (125 ml) de bleuets congelés
1/4 tasse (65 ml) de sirop d'érable
1/4 tasse (65 ml) de porto
Sel et poivre, au goût

Préparation
Préchauffer le four à 400 °F (205 °C).
Dans une poêle allant au four, saisir le cerf des deux côtés dans le beurre et l'huile à feu vif, et poursuivre la cuisson au four pendant 8 minutes.
Entre-temps, délayer la fécule de maïs dans l'eau et réserver.
Dans une casserole, amener à ébullition les fruits, le sirop d'érable et le porto.
Incorporer le mélange d'eau et de fécule de maïs à la sauce en fouettant et mijoter jusqu'à ce qu'elle épaississe.
Saler et poivrer au goût.
Retirer le cerf du four, et le laisser reposer 5 minutes.

Trancher le cerf et le servir nappé de sauce.

Un cabernet sauvignon, sans contredit. Le cépage le plus en vogue de la planète. Complexe et subtil, il produit des vins d'anthologie aux particularités uniques. À leur apogée, dans les grands millésimes, les meilleurs culminent au pays du plaisir charnel et de la jouissance intellectuelle.

Un vin rouge du Médoc, de Bordeaux, France

Un vin rouge – un cabernet sauvignon de Finis Terrae, Chili

Un nuits-saint-georges, de Bourgogne, France

Missionnaire de bœuf

Ingrédients du bœuf

1/2 tasse (125 ml) d'olives noires, dénoyautées
1 gousse d'ail
12 oz (350 g) de filet mignon
Sel et poivre, au goût
1 c. à soupe (15 ml) de beurre
1 c. à soupe (15 ml) de moutarde de Meaux
Pâte feuilletée
1 jaune d'œuf
1 c. à soupe (15 ml) de lait

Préparation

Préchauffer le four à 400 °F (205 °C).
Passer les olives et l'ail au hachoir, et réserver.
Saler et poivrer le filet, et le saisir dans le beurre de tous côtés dans une poêle à feu vif.
Retirer le filet, le déposer sur une planche de travail et le badigeonner
de moutarde de Meaux à l'aide d'un couteau, en pressant pour que la moutarde adhère bien à la viande.
Faire de même avec le mélange d'olives et d'ail.
Envelopper le filet de pâte feuilletée et le déposer sur une plaque de pâtisserie tapissée de papier parchemin.
Mélanger le jaune d'œuf et le lait, et badigeonner la pâte de cette dorure.
Enfourner le filet et faire cuire pendant 30 minutes pour une cuisson rosée.
Laisser reposer le filet pendant 10 minutes, et entre-temps, préparer la sauce.

Ingrédients de la sauce du missionnaire

2 tasses (500 ml) de fond brun de veau
3/8 tasse (95 ml) de vin rouge
Sel et poivre, au goût
1 c. à soupe (15 ml) de beurre

Préparation

Dans une petite casserole, combiner le fond de veau, le vin, le sel et le poivre, et faire réduire le mélange à feu moyen jusqu'à ce qu'il en reste environ le tiers.
Arrêter la cuisson et ajouter le beurre en fouettant.

Servir le missionnaire avec la sauce et un tian de légumes grillés.

Qu'elles soient pilons, gigues ou gigots
Jambes, jambons ou encore cuissots
Elles m'invitent et soudainement m'emprisonnent
Jusqu'à ce que le glas de mon désir résonne
O cuisses de rêve qui embrasez mon sommeil
À nulle autre pareille.

Alain Dumulong

Cuisses légères

Ingrédients

3 c. à soupe (30 ml) d'huile d'olive, en tout
3 c. à soupe (30 ml) de beurre, en tout
1 petit oignon, haché
2 gousses d'ail, finement hachées
1 grosse patate douce, coupée en cubes [12 oz (350 g)]
Sel et poivre, au goût
6 gros pilons de poulet
1 boîte de haricots noirs [19 oz (540 ml)], rincés et égouttés
1 feuille de laurier
8 olives vertes
1 c. à thé (5 ml) de poudre de cari
4 tasses (1 L) de bouillon de volaille
2 étoiles d'anis étoilé
1 citron confit, coupé en quartiers
4 merguez*
Sel et poivre, au goût

Préparation

Préchauffer le four à 350 °F (175 °C).
Dans une grande casserole, faire dorer l'oignon et l'ail dans
1 c. à soupe (15 ml) chacun d'huile et de beurre, puis réserver
dans une cocotte allant au four.
Dans la casserole, ajouter 1 c. à soupe (15 ml) chacun d'huile
et de beurre, et y faire dorer la patate douce, puis
réserver dans la cocotte.
Toujours dans la même casserole, ajouter l'huile et le beurre
qui restent, saler et poivrer les pilons de poulet et les faire
dorer à feu vif, puis réserver dans la cocotte.
Déglacer la casserole avec le bouillon de
volaille et verser dans la cocotte.
Ajouter les haricots, le laurier, les olives, le cari, l'anis,
le citron et les merguez.
Cuire à couvert au four environ 1 heure.
Saler et poivrer et servir sur un lit de couscous.

* Les merguez sont de petites saucisses au goût relevé originaires du
Maghreb. On en retrouve un peu partout.

LA PATATE DOUCE CONTIENDRAIT DES PROPRIÉTÉS PROCHES DE NOS HORMONES SEXUELLES. EN AMÉRIQUE DU SUD, ELLE EST UTILISÉE POUR STIMULER LA SEXUALITÉ DES FEMMES.

Un vin blanc issu du cépage viognier du Pays d'Oc, France

Un vin blanc – toujours viognier – un condrieu des Côtes du Rhône, France ou de la vallée de Napa, États-Unis

Un vin de pinot noir, tel un mercurey de Bourgogne, France

Cuisses, jambes, pattes et vice versa. Elles rendent fous marins, terriens et épicuriens, surtout lorsqu'elles sont à portée de main ou, mieux encore, lorsqu'elles sont à portée de bouche.

Les tendres cuisses de poulet et leurs merguez piquantes céderont la place à vos fantasmes sans aucune négociation. Vaisselle de carton et verrerie en plastique feront moins de dégâts…

Un poisson frit dans une pâte tempura relevée, servi avec un accompagnement fruité, sucré et vanillé, demande un vin bon baiseur. Un vin suffisamment puissant et âgé pour tenir le sambal œlek en état d'asservissement, et à la fois charmeur pour que les éléments doucereux de l'accompagnement en soient dignement honorés.

Un vin blanc mature, gras en bouche et au support alcoolisé imposant (14 %) sera l'amant par excellence. Mais un rouge pourrait aussi vous surprendre. Oubliez d'emblée l'eau et toute boisson effervescente.

Un chardonnay de la Toscane, Italie

Un chardonnay reserve américain de la vallée de Napa, États-Unis

Un vin rouge – un pinot noir d'au moins 10 ans d'âge, de Bourgogne ou du Val de Loire, France

Péché mignon de flétan

Ingrédients de la compote de pêches

4 pêches bien mûres
5/8 tasse (160 ml) d'eau
2 c. à soupe (30 ml) de cassonade
1 gousse de vanille
Sel et poivre, au goût

Préparation

Éplucher les pêches et les couper en morceaux.
Dans une petite casserole, combiner tous les ingrédients et les faire cuire à feu moyen, puis laisser réduire la sauce de trois-quarts.
Passer la sauce au mélangeur à main.

Ingrédients du flétan

10,5 oz (300 g) de filet de flétan
1 glaçon
3 c. à soupe (45 ml) d'eau froide
1/2 c. à thé (2,5 ml) de sambal oelek*
Sel et poivre, au goût
1/3 tasse (85 ml) de mélange à tempura
1 tasse (250 ml) de panko**
Huile d'arachide en quantité suffisante

Préparation

Couper le filet de flétan en lanières.
Dans un bol, préparer le mélange à tempura en combinant tous les ingrédients sauf le panko et l'huile.
Faire chauffer l'huile dans une grande casserole ou une friteuse.
Tremper le fétan dans le mélange à tempura et ensuite dans le panko.
Faire frire les lanières de flétan panées dans l'huile pendant environ 3 minutes.
Servir immédiatement avec la compote aux pêches en guise de trempette.

* Le sambal oelek est une pâte de piment fort en vente dans la plupart des supermarchés, les épiceries asiatiques ou fines.

** Le panko est une panure japonaise en vente dans les supermarchés.

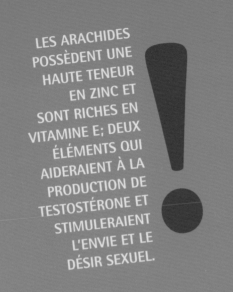

Une recette de porc à désir. Les arômes orientaux qui s'en dégagent vous poursuivront partout dans la maison. Une recette irrésistiblement cochonne pour une soirée qui s'annonce tout aussi cochonne.

Un vin blanc de cépage chardonnay de l'Oregon, États-Unis

Un vin blanc d'appellation savennières du Val de Loire, France

Un vin blanc de chardonnay de Central Valley, Chili

Cochon aux arachides

Ingrédients du filet de porc

1 filet de porc de 1 lb (450 g)
1 c. à soupe (15 ml) d'huile d'olive
1 c. à soupe (15 ml) de beurre
1/4 tasse (65 ml) d'arachides crues (non rôties ni salées)

Ingrédients de la sauce

1/4 tasse (65 ml) de beurre d'arachide
2 c. à soupe (30 ml) de cassonade
2 c. à soupe (30 ml) de sauce Hoisin*
1 1/2 c. à thé (7,5 ml) de vinaigre de riz
1 1/2 c. à thé (7,5 ml) de mirin**
1 1/2 c. à thé (7,5 ml) de sauce de poisson***
1 c. à soupe (15 ml) de sauce soya
1/2 c. à thé (2,5 ml) de sambal oelek****
2 c. à soupe (30 ml) d'eau

Préparation

Préchauffer le four à 375 °F (190 °C).

Dans une grande poêle allant au four, saisir le filet de porc de tous côtés dans l'huile et le beurre, et poursuivre la cuisson au four pendant 20 minutes. Sans éteindre le four, retirer le filet de porc du four, le recouvrir de papier d'aluminium et le laisser reposer.

Déposer les arachides sur une plaque à pâtisserie et les faire rôtir au four pendant 5 minutes, puis réserver.

Mélanger tous les ingrédients de la sauce et faire chauffer au bain-marie en remuant constamment.

Trancher le filet de porc et le servir avec la sauce aux arachides et les arachides grillées.

Accompagner ce mets de vermicelles ou de riz.

* Sauce à base de fèves soja, ail, piments forts et épices, employée en cuisine chinoise.
** Vin de riz japonais.
*** Sauce liquide très salée au parfum puissant, obtenue par la fermentation de poisson salé, et employée en cuisine asiatique pour saler les mets. Appelée nuoc mam en vietnamien, nam pla en thaï et shottsuru en japonais.
**** Le sambal oelek est une pâte de piment fort.

Tous les produits marqués d'astérisques sont vendus dans les supermarchés et dans les épiceries asiatiques ou fines.

Crevettes entrelacées de bananes

Ingrédients

1 c. à thé (5 ml) de basilic
1 c. à thé (5 ml) de thym
1 c. à thé (5 ml) de poivre noir
1 c. à thé (5 ml) de sel
1 c. à thé (5 ml) de poudre d'oignon
1 c. à thé (5 ml) de piments forts, broyés
1 c. à thé (5 ml) de paprika
8 crevettes géantes
2 c. à soupe (30 ml) d'huile d'olive
8 tranches de speck*
2 bananes

Préparation

Combiner les épices dans un petit bol.
Décortiquer les crevettes en conservant la queue et les badigeonner d'huile. Les passer ensuite dans le mélange d'épices et les secouer pour en enlever l'excédent.
Préchauffer l'élément de grillage (Broil) du four.
Éplucher les bananes et les couper en 4 tronçons, puis enrouler chaque tronçon d'une tranche de speck.
Monter en brochette les bananes et les crevettes, et les badigeonner d'huile d'olive.
Faire griller les brochettes au four 5 minutes.

Servir sur un lit de riz basmati.

* Le speck est un jambon qui se trouve facilement dans les bonnes charcuteries, mais qu'on peut remplacer par du prosciutto (jambon de Parme).

C'EST SURTOUT POUR SA FORME QUE LA BANANE A LA RÉPUTATION D'ÊTRE APHRODISIAQUE. ELLE CONTIENT TOUTEFOIS UN TAUX ÉLEVÉ DE POTASSIUM ET DE VITAMINE B ESSENTIELS À LA PRODUCTION DES HORMONES SEXUELLES.

Pour ne pas accroître les perceptions épicées en bouche, soulevées par un vin acidulé et qui anesthésieront vos papilles, il faut régulariser l'effet des épices avec un vin apte à les mettre au tapis. Des vins riches en sucres résiduels sont des conjoints auxquels les épices ne peuvent résister. C'est la soumission!

Un vin d'appellation bonnezeaux du Val de Loire, France

Un vin blanc moelleux du Jurançon, Sud-Ouest de la France

Un vin blanc – un riesling *Late Harvest* de Californie, États-Unis ou de la vallée de l'Okanagan, Canada

Côtes à côtes

À mets épicé, vins costauds! Hyper costauds même, la marinade en étant la cause. L'offre de vin est au rendez-vous : grenache, tempranillo, sangiovese, touriga nacional, shiraz et combien d'autres. Des vins cochons et suaves à souhait, à boire à grandes lampées, sont sollicités pour ce mets tout aussi orgiaque.

Une lager costaude

Un vin rouge « super toscan », de l'Italie. Comment y résister?

Un tempranillo d'appellation toro, Espagne

Ingrédients des côtes
1 3/4 lb (800 g) de côtes levées de porc
8 tasses (2 L) de court-bouillon*

Ingrédients de la marinade
2 tasses (500 ml) de ketchup aux tomates du commerce
1/2 oignon, haché
1 gousse d'ail, hachée
1/4 tasse (65 ml) de confiture aux prunes du commerce
3 c. à soupe (45 ml) de sauce Hoisin**

Préparation
Faire mijoter les côtes levées dans le court-bouillon à feu doux pendant environ 2 heures.
Les égoutter et les laisser refroidir, puis les transférer sur une plaque à pâtisserie.
Préchauffer le four à 375 °F (190 °C).
Mélanger les ingrédients de la marinade et en badigeonner les côtes levées copieusement.
Faire cuire les côtes levées au four pendant 30 minutes, en les badigeonnant de nouveau de sauce à mi-cuisson.

Servir avec des frites maison.

* Court-bouillon : Feuilles de laurier, carottes, céleri, oignon, persil, ail et de l'eau sont généralement les ingrédients utilisés.

** Sauce à base de fèves soja, ail, piments forts et épices, employée en cuisine chinoise, qu'on retrouve dans les supermarchés et épiceries asiatiques ou fines.

Une recette aux différences profondément marquées, alliant la croûte italienne, la charcuterie française, la poire et le cheddar nord-américain. Le vin choisi, lui, demeure fidèlement étrusque. Une question persiste cependant… pourquoi l'Italie? Réponse : fidélité oblige.

Un Chianti Classico puissant et aromatique de la Toscane, Italie

Un Sangiovese di Romagna de l'Émilie-Romagne, Italie

Un Brunello di Montalcino - un vin de grande renommée, de Toscane, Italie

Pizza interdite

Ingrédients

1 poire
2 noisettes de beurre
Sucre, sel et poivre, au goût
1 petit oignon espagnol
1 c. à soupe (15 ml) de beurre
1 c. à thé (5 ml) de sucre
14 oz (400 g) de boudin noir, cru
2 croûtes à pizza, minces, de 20 cm (8 po)
1 tasse (250 ml) de cheddar fort, râpé

Préparation

Préchauffer le four à 375 °F (190 °C).
Couper la poire en deux sur la longueur, évider chaque demi-poire et transférer les demi-poires sur une plaque à pâtisserie.
Remplir la cavité de chaque demi-poire d'une noisette de beurre, et saupoudrer de sucre, de sel et de poivre.
Enfourner les demi-poires et les faire cuire pendant 10 minutes. Retirer du four et réserver.
Émincer l'oignon et, dans une petite poêle, le faire caraméliser dans le beurre et le sucre à feu moyen.
Couper le boudin en fines rondelles.
Dresser les pizzas : garnir chaque croûte de la moitié des oignons caramélisés et des rondelles de boudin.
Déposer une demi-poire au centre de chaque pizza et saupoudrer uniformément chacune d'entre elle de cheddar râpé.
Enfourner les pizzas et les faire cuire pendant 10 minutes.

CERTAINES ÉTUDES MONTRENT QUE LE PARFUM DU FROMAGE EST UN ÉLÉMENT IMPORTANT À SA RÉPUTATION APHRODISIAQUE. SON ODEUR PARTICULIÈRE JOUERAIT UN RÔLE DANS L'ÉVEIL SEXUEL. LES ACIDES CONTENUS DANS LES FROMAGES AURAIENT UNE INFLUENCE SUR LA SEXUALITÉ. PLUS IL EST FORT, PLUS IL EST EFFICACE, DIT-ON.

Du fondue cœur

Ingrédients
4 1/2 oz (130 g) d'emmental
4 1/2 oz (130 g) de gruyère
4 1/2 oz (130 g) de vacherin
1 c. à thé (5 ml) de fécule de maïs
1 gousse d'ail
1 tasse (250 ml) de bière ambrée

Préparation
Râper le fromage, lui ajouter la fécule de maïs et bien mélanger.
Frotter l'intérieur d'un petit caquelon à fondue avec la gousse d'ail et l'y laisser.
Verser la bière dans le caquelon et la faire chauffer à feu moyen jusqu'à ce qu'elle fume.
Baisser le feu à feu doux et incorporer le fromage en pluie, en remuant en forme de 8 sans arrêt à la cuillère de bois.
Déguster sans tarder!

Tremper des cubes de pain baguette (acheté la veille) dans la fondue, et servir avec des pommes de terre, des asperges, du jambon et des viandes séchées.

Troublantes, dérangeantes et invitantes, les cuisses dénudées de votre partenaire sous la table…

La bière et le fromage sont faits l'un pour l'autre. Un accord inusité? Pas du tout! Une complétion gustative assurée se manifestera bien avant la fin de votre repas. Mais l'accord classique se fait avec des vins blancs.

Oubliez les rouges, car le gras du fromage durcit les tanins du vin.

Un vin blanc sec – un sauvignon du Jura, France

Trois bières – une rousse forte, une bière de froment ou une brune…

Une lager rousse

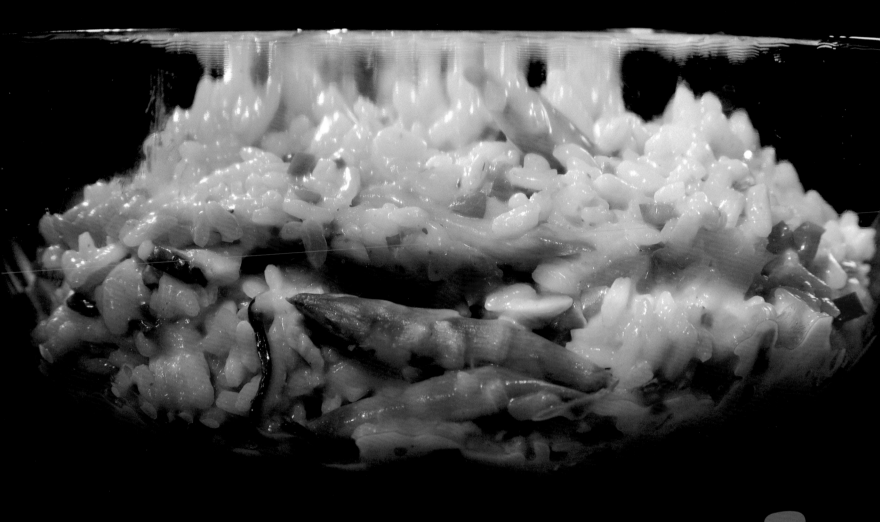

SELON
D'ANCIENNES
CROYANCES,
L'ASPERGE
INFLUENCERAIT
NOS SENTIMENTS
AMOUREUX ET
FAVORISERAIT LA
FERTILITÉ.

Risotto soyeux en éruption

Ingrédients

6 champignons shiitake
1 poivron rouge, coupé en brunoise
2 échalotes grises, ciselées
Huile d'olive, en quantité suffisante
1 tasse (250 ml) de riz arborio*
1/2 tasse (125 ml) de vin blanc sec
3 tasses (750 ml) de bouillon de volaille
1 tasse (250 ml) de lait de coco
6 asperges vertes, blanchies et coupées en trois tronçons
1 c. à soupe (15 ml) de pickles de mangue de style indien de marque
Patak's®**, hachés
Sel et poivre, au goût

Préparation

Supprimer la queue des champignons et en émincer les chapeaux.
Dans une grande casserole, combiner le bouillon de volaille et le lait de coco,
et amener à mijotement. Garder au chaud à feu doux.
Dans une grande casserole, faire revenir le poivron et l'échalote dans un peu
d'huile d'olive à feu doux.
Incorporer le riz aux légumes et déglacer au vin blanc.
Une fois le vin évaporé, ajouter au mélange une louche du bouillon chaud
(ou juste assez de bouillon pour recouvrir le mélange) et remuer sans arrêt à
la cuillère de bois jusqu'à ce que le bouillon soit absorbé. Répéter l'opération
jusqu'à ce que le riz ait absorbé tout le bouillon, environ 20 minutes.
Ajouter les asperges quelques minutes avant la fin de la cuisson ou lorsqu'il
ne reste qu'une louche de bouillon à intégrer.
Incorporer les pickles de mangue au risotto, saler et poivrer,
et servir sans tarder.

* Riz blanc à grain court et rond, importé d'Italie. Riche en amidon, il confère au
risotto une texture particulièrement crémeuse.

** Marinade vendue dans les supermarchés dans la section des produits indiens.

D'origine italienne, le risotto – dont la recette est exportée partout et fort appréciée – a été revisité ici avec des accents tropicaux. Aux allures XXX et possédant des saveurs chaudes et solaires, ce plat mérite d'être mouillé avec grâce… Pas de place pour les irrévérencieux.

Un vin blanc de pinot grigio de Trentino-Alto Adige, Italie

Un vin blanc de plusieurs cépages d'appellation costières de nîmes, du Rhône, France

Un vin blanc issu d'un assemblage de sauvignon blanc et de sémillon de la vallée de Sonoma, États-Unis

Mademoiselle praliné chocolat
A les yeux éclats amandes, noisettes
Son corps a la couleur d'une pâte à tartiner
Les polissons se lècheraient les doigts
A glisser le long de ses pourtours
Ils se laisseraient à la dérive d'une gourmandise

Mademoiselle praliné chocolat
Enveloppe vos papilles comme une fève de cacao
Son cœur est brun moelleux fondant
A croquer, à se savourer, se damner
Du dernier carré, l'ultime supplice
Vitrine éblouissante sous sa robe d'aluminium

Mademoiselle praliné chocolat
Se laisse mordre par les bouches
Ses voisins de gingembre sont jaloux
Et les caramels un peu trop collants
Sous les langues vous resterez muets de la croquer.
Sous son liquide chaud, écume mousseuse du palais.

Nathalie BRULE
www.octopussy.rmc.fr
Textes déposés

Un complot friand, tout en délicatesse, quand on sert à sa tendre moitié une alliance de la sorte. Un café de cru… un naturel tout indiqué. Vins moelleux et vins doux naturels (VDN) seront des affriolants de premier ordre.

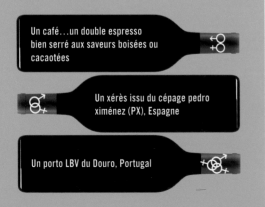

Un café…un double espresso bien serré aux saveurs boisées ou cacaotées

Un xérès issu du cépage pedro ximénez (PX), Espagne

Un porto LBV du Douro, Portugal

Tarte libertine au café

Ingrédients

1 sac de miniguimauves [9 oz 250 g)]
1 tasse (250 ml) d'eau chaude, en tout
4 c. à thé (20 ml) de café instantané
2 tasses (500 ml) de crème 35 %
1/4 de tasse (65 ml) de sucre
1 c. à thé (5 ml) d'extrait de vanille
Un paquet de biscuits secs et minces au chocolat [7 oz (200 g)]
1/4 tasse (65 ml) de beurre non salé, en pommade
Copeaux de chocolat noir 54 % cacao ou de chocolat au lait

Préparation

Dans une casserole moyenne, faire chauffer à feu doux 3/4 tasse (190 ml) d'eau et ajouter les guimauves.
Remuer à l'aide d'une cuillère pour que les guimauves fondent et transférer dans un bol moyen.
Dans un petit bol, dissoudre le café dans le 1/4 tasse (65 ml) d'eau qui reste, et incorporer ce mélange à la guimauve fondue.
Réfrigérer le mélange pendant 1 heure en le brassant de temps en temps (de 2 à 3 fois) afin d'en conserver la texture homogène.
Fouetter la crème avec le sucre et l'extrait de vanille pour en faire une Chantilly, et réserver.
Dans un moule à charnière de 9 po (23 cm) de diamètre, disposer des biscuits à la verticale contre les parois du moule.
Faire une chapelure avec le reste des biscuits, en les mettant dans un sac de plastique hermétique et en les écrasant au rouleau à pâte.
Dans un bol moyen, mélanger la chapelure de biscuits et le beurre à la fourchette pour en faire une pâte.
Répartir uniformément la pâte dans le fond du moule et bien la presser.
Retirer le mélange à la guimauve du réfrigérateur et le fouetter pendant environ 30 secondes pour lui redonner sa texture lisse.
Incorporer délicatement la crème fouettée à ce mélange.
Verser le mélange dans le moule et décorer le dessus avec des copeaux de chocolat.
Réfrigérer pendant 12 heures.

Dressée au bout de ton bâton
Chaude et mûre à point
Oui, dévore-moi!

Erotica

Caresses de guimauve

Ingrédients

6 feuilles (10 g) de gélatine en feuille*
1/2 tasse (125 ml) d'eau
1 tasse (250 ml) de sucre
1/3 tasse (85 ml) de jus de mûre
1 blanc d'œuf

Préparation

Tapisser une plaque à pâtisserie de papier parchemin bien huilé.

Faire un sirop : dans une casserole à hauts rebords, combiner l'eau et le sucre, et amener le mélange à ébullition en le remuant souvent, jusqu'à ce qu'il atteigne 260 °F (125 °C) au thermomètre à bonbons, en demeurant vigilant pour éviter qu'il ne déborde.

Dans un petit bol, faire tremper les feuilles de gélatine dans un peu d'eau fraîche jusqu'à ce qu'elles ramollissent.

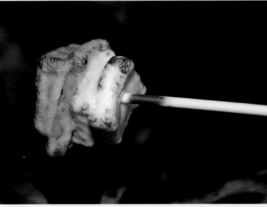

Entre-temps, dans une autre casserole, faire chauffer le jus de mûre à feu doux, et y incorporer les feuilles de gélatine ramollies et égouttées.

Au mélangeur, battre le blanc d'œuf en neige.

Lorsque le sirop est prêt, lui ajouter graduellement le jus de mûre chaud en filet, en remuant constamment, puis verser ensuite ce mélange en filet sur le blanc d'œuf tout en battant sans arrêt. Continuer de battre le mélange pendant encore 5 minutes.

Verser le mélange uniformément sur la plaque à pâtisserie, le recouvrir d'une feuille de papier parchemin huilé et d'une pellicule de plastique, puis réfrigérer jusqu'au lendemain (environ 12 heures).

Retirer délicatement le papier parchemin de la guimauve et la couper en morceaux de différentes tailles.

Enfiler les morceaux de guimauve sur un bâtonnet et les faire griller à l'aide d'une torche ou sous l'élément de grillage du four (Broil), et servir.

* La gélatine en feuilles se retrouve dans la plupart des supermarchés et les épiceries fines. Elle se vend en paquets de ,35 oz (10 g) qui contiennent 6 feuilles.

Le vin choisi doit être conséquent de son association. En dégustation, la bouche doit rester fidèle au nez. En somme, un vin plaisant avec une finale longue et onctueuse… Surprise! Un hydromel! À découvrir!

Un seul : un hydromel, vin de miel aromatisé à l'érable et aux bleuets.

LE CHOCOLAT FAVORISERAIT LA SÉCRÉTION D'HORMONES DU PLAISIR. CASANOVA EN BUVAIT PLUSIEURS TASSES AVANT D'ALLER AU LIT POUR HONORER SES DAMES.

Extasie banane et chocolat

Ingrédients de l'extasie
Beurre en pommade, en quantité suffisante
Poudre de cacao, en quantité suffisante
2 oz (57 g) de chocolat noir 70 % cacao
2 c. à soupe (30 ml) de beurre non salé
4 c. à soupe (60 ml) de sucre
2 œufs
3 c. à soupe (45 ml) de farine tout-usage

Préparation
Beurrer (avec le beurre en pommade) deux ramequins de
3 po (7,5 cm) et les saupoudrer de cacao.
Préchauffer le four à 400 °F (205 °C).
Faire fondre le chocolat et le beurre au bain marie, et réserver.
Blanchir les œufs avec le sucre.
Incorporer le mélange de chocolat au mélange d'œufs
et ajouter la farine en la tamisant, tout en fouettant.
Verser le mélange dans les ramequins et faire cuire
de 12 à 14 minutes.
Démouler et servir avec un lait frappé à la banane.

Ingrédients du lait frappé
1 banane
1/2 tasse (125 ml) de lait
1/2 tasse (125 ml) de crème glacée à la vanille

Préparation
Passer les ingrédients au mélangeur et servir immédiatement.

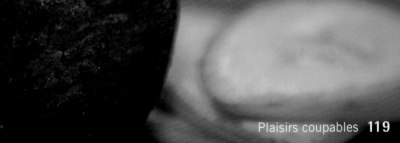

Touchers de doigts de dame

Ingrédients

2 c. à soupe (30 ml) de sucre
1 jaune d'œuf
1 blanc d'œuf
2 c. à soupe (30 ml) de mascarpone
1/2 tasse (125 ml) de crème 35 %
1 c. à soupe (15 ml) de Tia Maria®
4 biscuits doigts de dame
1 tasse de café, refroidi à température pièce
1 casseau [6 oz (170 g)] de framboises
Poudre de cacao, au goût

Préparation

Battre le blanc d'œuf en neige et réserver.
Fouetter la crème et réserver.
Dans un bol, blanchir le jaune d'œuf et le sucre.
Ajouter ensuite le mascarpone et le Tia Maria® et bien mélanger.
Incorporer délicatement (en pliant) à ce mélange le blanc
d'œuf, puis la crème fouettée.
Pour le service, utiliser deux grands verres
d'environ 7/8 de tasse (220 ml).
Garnir les verres en alternant, biscuits trempés
dans le café et coupés en deux, framboises
et le mélange onctueux et terminer
en saupoudrant un peu de cacao.

Un Passito di Pantelleria de Sicile, Italie

Un vin blanc liquoreux d'appellation sauternes, de Bordeaux, France

Un vin doux naturel (VDN) – un muscat de Rivesaltes du Roussillon, France

Le dessert de l'amour à l'italienne. Que dire
de plus... Place aux vins de baise. Les paroles
sont inutiles. Action!

CE SERAIT L'ARÔME DE LA VANILLE QUI LA RENDRAIT APHRODISIAQUE. C'EST POURQUOI ON L'UTILISE BEAUCOUP POUR CRÉER LES PARFUMS. DANS CERTAINS PAYS COMME LE VENEZUELA, LE MEXIQUE ET L'ARGENTINE, ON LAISSERAIT MACÉRER QUELQUES GOUTTES DE VANILLE DANS UN VERRE DE TEQUILA PENDANT PRÈS D'UN MOIS. RÉSULTAT : DONNE DE LA VIGUEUR!

Nuit blanche de la passion

Ingrédients

1 1/2 feuille (2 g) de gélatine*
1 gousse de vanille
1 1/4 tasse (315 ml) de crème 35 %
2 c. à soupe (30 ml) de sucre
1 c. à soupe (15 ml) de sirop de sucre**
1 fruit de la passion
4 feuilles de menthe
15 ml (1 c. à soupe) d'huile de pépins de raisin

Préparation

Faire tremper la gélatine dans de l'eau froide pendant environ 5 minutes.
Couper la gousse de vanille en deux sur le long et en racler l'intérieur à l'aide de la lame d'un couteau pour en extraire les graines.
Dans une petite casserole, faire chauffer la crème, le sucre et la vanille à feu doux.
Égoutter la gélatine et l'incorporer au mélange de crème chaude tout en fouettant.
Verser le mélange dans de petits ramequins et réfrigérer pendant 2 heures.
Couper le fruit de la passion en deux, en retirer la pulpe et réserver.
Ciseler la menthe et la mélanger avec l'huile.
Garnir la crème refroidie de sirop de sucre, de pulpe de fruit de la passion et d'huile de menthe.

* La gélatine en feuilles se retrouve dans la plupart des supermarchés et les épiceries fines. Elle se vend en paquets de ,35 oz (10 g) qui contiennent 6 feuilles.

** Sirop de sucre : amener à ébullition 3/8 tasse (95 ml) d'eau et 1/2 tasse (125 ml) de sucre pendant 2 minutes, puis laisser refroidir. Cette eau sucrée se conserve au réfrigérateur pendant plusieurs semaines et est idéale pour sucrer les cocktails!

Un accord mets et vins viscéralement axé sur les origines du pays où l'amour est roi. Nul ne peut défier cette liaison enivrante, qu'elle soit légitime ou non.

Un incontournable! Un vin de dessert italien, sucré, alléchant, exotique, excitant, voire, troublant. À déguster à deux. Il conviendra aussi au plaisir solitaire.

Un vin doux naturel (VDN) – un Passito di Pantelleria de la Sicile, Italie

Un vespaiola de la Vénétie, Italie

Un Vin Santo di Montepulciano de la Toscane, Italie

Tétin gauche, *Tétin* mignon

Toujours loin de son compagnon

Tétin qui porte témoignage

Du demeurant personnage

Quand on te voit, il vient à maint

Une envie dedans les mains

De te tâter, de te tenir.

Clément Marot (1495-1544)

Tétins de pêches

Ingrédients

1/3 tasse (85 ml) de sucre
1 c. à soupe (15 ml) d'eau
2 demi-pêches en conserve
1/4 tasse (65 ml) de noix hachées
1 pincée de gingembre moulu
1 pincée de muscade moulue
Pâte feuilletée en quantité suffisante

Préparation

Préchauffer le four à 350 °F (175 °C).

Dans une petite casserole, combiner le sucre et l'eau, et faire chauffer le mélange à feu moyen sans brasser, jusqu'à ce qu'il forme un caramel d'un beau brun-roux.

Verser le caramel dans deux petits moules à tartelettes d'environ 3 po (7 cm) de diamètre et les remplir chacun d'une demi-pêche, côté dénoyauté vers le haut.

Déposer les noix, le gingembre et la muscade dans la cavité de chaque demi-pêche.

Couvrir chaque demi-pêche de pâte feuilletée et faire cuire pendant 15 minutes ou jusqu'à ce que la pâte soit bien dorée.

Sortir les moules du four et les renverser immédiatement dans des assiettes de service.

Accompagner de crème glacée à la vanille.

Un vouvray moelleux et âgé ou un coteaux-du-layon, du Val de Loire, France

Un vin de glace du Canada. Ils sont tous succulents

Un rosé français d'appellation côtes-de-provence ou tavel

Pour ce dessert, rien ne vaut un vin blanc doux naturel qui relèvera l'arôme de pêche qu'on retrouve aussi dans le vin. Cet arôme de pêche, tout comme celui de l'abricot, est synonyme de grande qualité dans un vin. Vos papilles seront choyées… un flirt avec la félicité!

Mariage de truffes

Ingrédients
7 oz (200 g) de chocolat noir 70 % cacao
1,75 oz (50 g) de sucre à glacer
3/8 tasse (95 ml) de crème 35 %
1 jaune d'œuf
1/2 c. à thé (2,5 ml) de piment d'Espelette
3,5 oz (100 g) de beurre, coupé en carrés
1 c. à soupe (15 ml) de poudre de cacao
Une pincée de piment d'Espelette

Préparation
Faire fondre le chocolat au bain marie.
Ajouter le sucre, la crème, le jaune d'oeuf et le piment.
Mélanger au fouet et retirer du feu.
Ajouter tout en fouettant les carrés de beurre, un à la fois.
Verser le mélange dans un moule carré de 5 pouces (12 cm),
recouvert d'un papier film bien tiré, sans pli.
Refroidir 2 heures au réfrigérateur.
Mélanger le cacao et le piment.
Tremper un couteau dans l'eau chaude.
Couper des carrés et les saupoudrer
du mélange cacao et piment.

Ici, l'association du champagne et du chocolat relève plutôt de l'adage festif qu'on leur accorde que d'un accord réussi sur le plan gastronomique. En effet, le chocolat malmène le champagne.

Toutefois, un certain accord peut être réalisé : un champagne à l'opposé de la fraîcheur minérale et agrume avec un fort pourcentage de raisins noirs (75 % de pinot noir ou pinot meunier), soit un champagne légèrement oxydé, tirant vers les notes de tabac et de cannelle. Si l'amertume apparaît en bouche, le chocolat noir pourrait être un bon allié… À vivre juste pour le plaisir. Et si l'expérience vous déplaît, dégustez le reste de la bouteille dans le nombril de votre partenaire…

Un vin doux naturel (VDN), rouge et d'appellation maury, du Roussillon, France

Un muscat de Beaumes-de-Venise, du sud du Rhône, France

Un champagne brut répondant aux critères précités

Tu te saisis de la bouteille
Je m'affole
Je m'insurge
Je conteste
Mais je te vois boire
En riant au goulot
Et tandis que tu me pénètres
Sans ménagement
Je sens couler de ta bouche
Dans ma gorge
Ce breuvage tant renommé

Den Hall
(www.poesie-erotique.net)

Vibrations aux fruits

Ingrédients

8 feuilles (13,5 g) de gélatine*
1/2 gousse de vanille
1 étoile d'anis étoilé
1 bâton de cannelle
1/4 tasse (65 ml) de sucre
1 tasse (250 ml) d'eau
2 tasses (500 ml) de jus au choix (pomme, raisin, canneberge ou fraise)

Préparation

Dans un petit bol, faire tremper la gélatine dans de l'eau froide pendant environ 5 minutes.
Dans une casserole moyenne, amener à ébullition la vanille, l'anis étoilé,
la cannelle, le sucre et l'eau.
Laisser le sirop mijoter pendant 5 minutes et retirer du feu.
Égoutter la gélatine et l'incorporer à la moitié de ce sirop parfumé**.
Incorporer le jus de fruits au sirop.
Verser dans des moules et réfrigérer pendant 2 heures***.

* La gélatine en feuilles se retrouve dans la plupart des supermarchés et les épiceries fines. Elle se vend en paquets de ,35 oz (10 g) qui contiennent 6 feuilles.

** On peut utiliser l'autre moitié du sirop parfumé pour refaire la recette en utilisant un jus de fruits d'une autre saveur.

*** Passer les moules à l'eau chaude pour faciliter le démoulage. Il faut le faire rapidement, car la gélatine pourrait fondre.

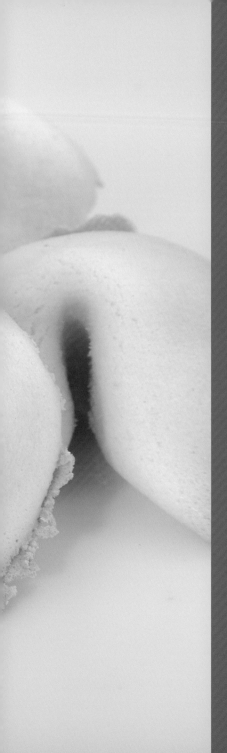

Les suggestifs

Ingrédients

3 c. à soupe (45 ml) de farine tout-usage
2 blancs d'œufs
1/3 tasse (85 ml) de sucre
3 c. à soupe (45 ml) de fécule de maïs
1/2 c. à thé (2,5 ml) d'extrait de vanille
1 c. à thé (5 ml) d'huile de noix

Préparation

Préchauffer le four à 350 °F (175 °C).
Rédiger des messages suggestifs sur de petites languettes
de papier d'environ 1 1/2 po x 1/2 po (4 cm x 1 cm).
Dans un bol moyen, battre en neige légère les
blancs d'œufs.
Incorporer le sucre, la fécule de maïs et la farine, puis l'extrait
de vanille et l'huile de noix.
Sur une plaque à pâtisserie bien huilée ou recouverte
d'un tapis de cuisson, étaler 2 c. à thé (10 ml) du mélange
en formant des cercles de 3 à 4 po (8 à 10 cm) de diamètre.
Faire cuire au four de 4 à 5 minutes.
Décoller les biscuits à l'aide d'une spatule.
Déposer un message au centre de chaque biscuit et replier
les biscuits sur eux-mêmes, en forme de demi-lune.
Presser chaque biscuit sur le côté de la plaque
pour l'incurver.
Laisser refroidir les biscuits à la température ambiante.

Un thé, bien entendu, est l'accord
idéal pour cet intrigant porteur de
messages.

Un thé noir de l'Inde – comme le Darjeeling

Un thé vert japonais, comme le sencha Isagawa

Un thé semi-oxydé, comme le Wu-Long de Chine

Avec ma langue je te touche
Je te suce et te savoure
Tu fonds dans ma bouche
Lentement, sans détour

Erotica

Lichettes glacées

Ingrédients de la version au yogourt

1 tasse (250 ml) de fraises, surgelées
1 tasse (250 ml) de yogourt à la vanille
1/2 tasse (125 ml) de jus de pêche
4 c. à soupe (60 ml) de miel
Le jus de 1/2 limette
Poivre long moulu, au goût

Préparation

Passer tous les ingrédients au mélangeur pour en faire
une purée bien lisse.
Verser le mélange dans six moules à sucettes glacées d'une
capacité d'environ 3/8 tasse (95 ml) chacun et congeler pendant
au moins 2 heures.
Pour faciliter le démoulage des lichettes, passer les moules sous
l'eau chaude pendant quelques secondes.

Ingrédients de la version aux fruits

Oranges en quantité suffisante pour faire 1 tasse (250 ml) de jus
1 1/2 tasse (375 ml) de chair de mangue, surgelée
4 c. à soupe (60 ml) de sirop d'érable

Préparation

Râper le zeste des oranges et les blanchir : amener une
petite casserole d'eau à ébullition, y plonger les zestes,
les récupérer avec une écumoire et les rafraîchir immédiatement
à l'eau froide, puis répéter l'opération quatre fois. Réserver. (Cette
opération débarrasse les zestes de leur amertume.)
Presser les oranges.
Passer le jus d'orange, la chair de mangue et le sirop
d'érable au mélangeur pour en faire une purée bien
lisse, et ajouter les zestes réservés au mélange.
Verser le mélange dans six moules à sucettes glacées d'une
capacité de 3/8 tasse (95 ml) chacun et congeler pendant au
moins 2 heures.
Pour faciliter le démoulage des lichettes, passer les
moules sous l'eau chaude pendant quelques secondes.

Variante

Remplacer les fruits surgelés par des fruits frais de saison –
régionaux, si possible.
Pour des lichettes originales, congeler des jus de différentes
saveurs en alternant les couches.
On peut remplacer les bâtons en plastique des moules par des
bâtons en bois, en les insérant dans les moules à
mi-congélation (au bout d'une heure de congélation environ).

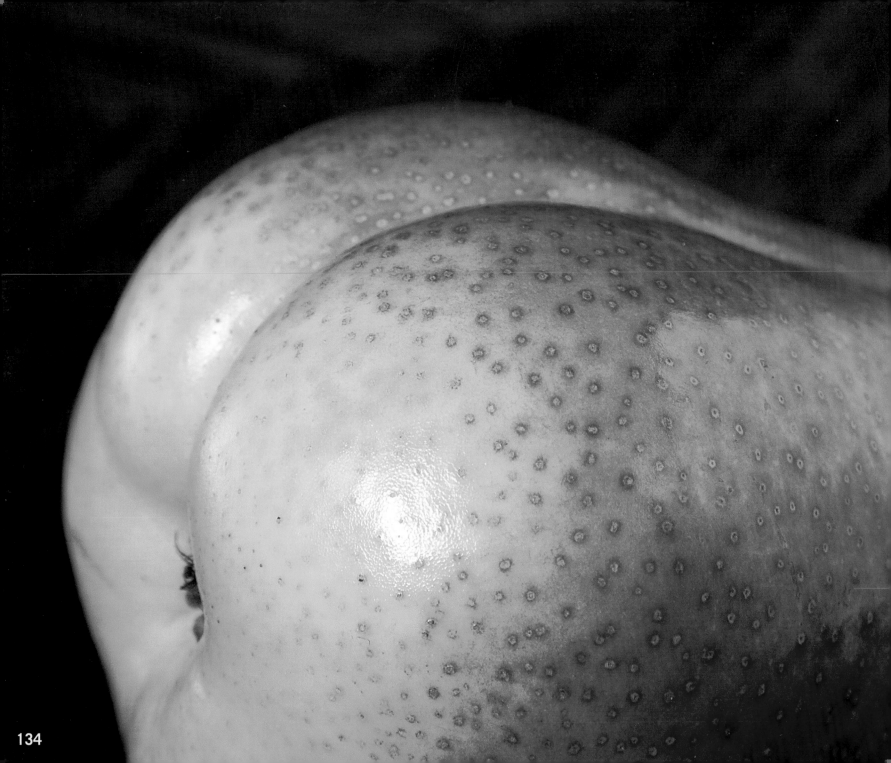

134

Index

Mille fois merci

• **Stark & Whyte** (www.starketwhyte.com), pour les merveilleux accessoires de cuisine. • **Marie-France et Tania, de 12° en Cave** (www.12encave.com), pour la verrerie et les accessoires vinicoles. • **Daniel, de la boutique de thé Camellia Sinensis** (www.camellia-sinensis.com), pour la validation des accords mets et thés. • **Blush Lingerie** (www.blushlingerie.com), pour la lingerie fine. • **Le Château** (www.lechateau.ca), pour les vêtements. • **Bijouterie Moug**, pour les bijoux. • **Roche Bobois** (www.rochebobois.com), pour les meubles. • **Shark Agency** (www.shark-agency.com), pour les modèles. • **Les membres de la maison de production IDI2 (Marc, Anne-Marie, Félipe, Fabien, Sophie, Julie et Mathilde)**, pour leur professionnalisme. **Les modèles :** Cynthia, Mylène, Léa, Anne-Marie, Vanessa, Carl, Salomée, Christian, Stéphanie et Samuel • **Conrad Morin**, pour son amour du vin et son regard critique. **Véronique Dalle**, de m'avoir présenté les deux chefs, et surtout, pour sa gentillesse. • **Phil**, pour son amour et son inspiration. **Manon, Hélène, Dominique, Renée, Luce, Richard, Michel, Luc et M. Perrotte**, pour leur fidèle amitié. **Mes vieux parents**, pour leur amour. **Renée, Victor et Mᵉ Lamothe**, pour leurs choix musicaux. **Danielle**, d'être une si bonne oreille, amoureuse et complice de son **Alain**. **Pierre**, pour son opinion masculine du travail artistique de sa **Sonia**.